J'AVAIS DOUZE ANS...

Nathalie Schweighoffer

J'AVAIS DOUZE ANS...

document

avec la collaboration de
Marie-Thérèse Cuny

FRANCE LOISIRS
123, boulevard de Grenelle, Paris

Édition du Club France Loisirs, Paris,
avec l'autorisation des éditions Fixot

© Fixot, 1990

ISBN 2-7242-6092-9

Pour ma mère,

Je n'avais pas vu que tu portais des chaînes
A trop vouloir te regarder j'en oubliais les miennes.

Pour Bruno,

La voix d'un homme dans ses yeux lui dit
Que ce n'était qu'un jeu,
Qu'ils rebâtiront leur bonheur
Et qu'un enfant brûlera leur cœur.

Pour tous les enfants victimes,

On m'avait dit que tout s'efface,
J'aurai appris qu'il faut longtemps,
Mais le temps passe heureusement.

Francis Cabrel

Note de l'éditeur

En mars 1989, après avoir intenté un procès à son père, Nathalie a accepté de témoigner à l'émission de François de Closets, *Médiations*. A l'issue de cette émission, elle a voulu aller plus loin et a décidé d'écrire son histoire.

Impressionné par sa volonté et la force de son témoignage, François de Closets m'a appelé pour me parler de Nathalie.

Je l'ai alors rencontrée, et elle m'a fait part de son intention. Parce que je craignais que ce récit ne lui rappelle sans cesse des événements trop lourds à porter, j'ai d'abord tenté de la dissuader de l'écrire. Mais Nathalie m'a fait partager sa détermination : sa souffrance ne sera pas inutile si, aujourd'hui, son témoignage peut aider une petite fille violée, même une seule, à parler.

C'est pour cette raison qu'elle a décidé de nous dire quelle a été sa vie pendant cinq ans.

Dans sa force, sa violence parfois difficile à supporter, son histoire est exemplaire — nécessaire.

Je suis fier de la publier aujourd'hui.

Bernard Fixot

Qu'est-ce qui m'arrive ? Il est là dans son peignoir marron, debout devant mon lit, l'air bizarre, le regard dur, froid, comme si j'avais fait quelque chose de mal. J'ai rien fait de mal aujourd'hui. Pourquoi j'ai peur ? Je recule contre le mur, je m'y écrase, je tire le drap sur moi. Je devrais sûrement foutre le camp, me barrer, mais il y a le mur derrière moi et mon père devant. Qu'est-ce qu'il fait assis sur mon lit à une heure pareille ? C'est pas normal.

Il me caresse les cheveux, et je sens une menace comme si j'allais prendre une gifle.

— Papa, qu'est-ce que tu veux ? Arrête, laisse-moi.

Il se met à parler de Franck. Je comprends pas.

Il veut savoir ce que me fait Franck, s'il m'embrasse, où il met sa main. Il veut que je lui dise la vérité sur Franck. Des tas de phrases longues, murmurées, il n'en finit pas de parler de Franck. Qu'est-ce que je dois dire ? Qu'est-ce qu'il s'est mis dans la tête ? J'ai douze ans et demi, j'ai rien fait avec Franck. Il se trompe, il veut savoir des trucs qui n'existent pas. Qu'est-ce qu'il veut que je lui dise ? Ça me rend muette. Il n'a jamais fait ça, avant. Y a un silence dans ma tête, terrible. Impossible de sortir un seul mot, pendant un bon moment. Et lui il continue de poser des questions. On dirait qu'il a envie que je lui mente, que je lui raconte des choses. Je ne dois pas avoir l'air choqué. Je dois faire la petite fille qui trouve ça normal les mots qu'il emploie, les gestes qu'il suppose.

— C'est pas vrai, papa. J'aime bien Franck, c'est mon petit copain. Mais pourquoi tu me demandes ça ?

Oui, c'est mon amoureux, Franck. On se tient par la main, c'est tout.

Je sais que les amoureux s'embrassent à la télé. Mais Franck et moi, on fait pas ça. On se tient juste par la main. Je peux pas embrasser un garçon, je suis trop petite. J'ai même pas encore pensé à ça avec Franck. De quoi on parle tous les deux ? Mais je sais pas. Qu'est-ce qu'on fait quand on est tout seuls ? Ben, on parle. Et puis on se regarde dans les yeux, mais ça, je lui dirai pas. On se regarde pour faire comme si on était des enfants d'un autre monde. C'est formidable de faire ça, avec sa main dans la mienne.

Ça regarde pas mon père. Il continue à me caresser les cheveux, c'est pas normal ce qu'il fait. Je le sens bien. J'ai trop chaud, trop peur, je voudrais qu'il s'en aille et qu'il me laisse dormir. J'ai les yeux qui piquent. Je comprends pas ce qui lui prend de me réveiller en pleine nuit pour me faire la causette. Il dit qu'il y a des choses que je dois savoir parce que je grandis. Quelles choses ?

Je lui demande gentiment d'aller se coucher parce que j'ai sommeil. Il a l'air déçu. Mais il s'en va en rajustant son peignoir marron. Il le quitte jamais ce peignoir. C'est comme un uniforme, le soir. Je sais pas ce qu'il est allé faire, mais j'arrive plus à dormir. Il est drôle, mon père, il vit la nuit, il bosse tout le temps, et il ne pense qu'à ça. Le

12

Travail, toujours le Travail. Quand il parle du Travail avec un grand T, il donne l'impression de dire une chose superbe. Et moi je crois que le Travail c'est formidable, comme il le dit. Y a rien de mieux au monde ! Des fois, je le regarde assis derrière son bureau, en train de faire les factures des clients. Il est beau, imprenable. Et moi je suis rien à côté. Pourtant, il est fier de moi. Parce que je travaille bien en classe, je suis toujours première, toujours souriante, toujours aimable, toujours tout ! Pour qu'il soit fier de moi. Il m'a acheté une machine à écrire mécanique, il m'a expliqué la comptabilité, à quoi ça sert, et tout. Le soir quand il a fermé l'atelier de dépannage radio, il m'apprend la TVA. J'ai déjà tout compris. Je veux l'aider. Parce que mon père est ambitieux, il se bat pour sa famille, il dit qu'il veut pour ses enfants tout ce qu'il a pas eu. J'ai décidé que je l'aiderais dans cette tâche. Je serai aussi ambitieuse que lui, aussi grande que lui. Sa devise, c'est qu'il faut commencer jeune. J'ai débuté drôlement vite. Maintenant, je travaille trois heures par semaine, et je suis vachement performante. Je suis plus une simple petite fille, je suis sa petite secrétaire, son bras droit, son comptable. J'aime bien ça, parce que ça me vieillit, j'ai l'impression d'être importante, comme une adulte. Si ma mère ne faisait pas d'histoires, tout irait bien. Elle dit que ça posera des problèmes à la rentrée. J'en ai rien à foutre de la rentrée ! C'est dans deux mois. Dans deux mois, je serai devenue indispensable et je travaillerai le soir comme lui. Il a pas assez de sous pour payer un comptable, ça ficherait les bénéfices en l'air. Moi, je vais l'aider à faire des bénéfices. Ça c'est bien.

Je peux pas me rendormir, à cause de cette histoire de Franck. Et comment il m'a caressé les cheveux. D'habitude les câlins sont plutôt rares. Je vais jamais les chercher en plus. J'attends qu'il demande. Je sais pas pourquoi. Pourtant mon père, je l'admire et je l'aime. Je l'ai dit à Franck. Des fois on dit que les filles sont amoureuses de leur père, mais moi pas. Je le trouve super. Je le respecte, je veux devenir comme lui.

Avec Franck, c'est pas la même chose, c'est mon premier amour comme on dit, mais on a surtout une passion : le tennis. On joue tout le temps ensemble et papa est souvent là pour nous regarder. Alors, qu'est-ce qu'il croit ? Pourquoi il m'a demandé si Franck me faisait des choses spéciales ?

Il faut que je dorme et que j'oublie ça. Mais je peux pas. Ces choses spéciales, ça a l'air d'être sale. Il croit que j'ai fait des choses sales avec Franck. Comment je vais faire pour le persuader qu'il se trompe ? Je vais quand même pas lui dire que Franck met pas sa main quelque part, enfin là... où il dit qu'il la met. Sur la poitrine et tout le reste.

Je suis tendue. Énervée. J'ai dû dormir sans m'en rendre compte, et j'ai passé la journée pareil, comme une somnambule, en faisant des trucs qu'on fait pendant les vacances. Mais maintenant c'est à nouveau la nuit. Et j'ai la trouille. Je pense qu'il va revenir. Il est neuf heures du soir, j'ai la panique. Je regarde le ciel, pour lui parler. Parce que je parle souvent au ciel, c'est un copain, un vrai. C'est le seul copain avec qui je peux parler des heures entières, sans qu'il me contredise. C'est important pour une petite fille. Si je veux une bonne note, je lui demande, et il me fait plaisir en me l'accordant.

Mais, cette fois, j'ai l'impression que ça va pas marcher. Comme si je demandais au ciel une chose qu'il ne peut pas me donner. Ça dépend pas du ciel, ce que je veux. Ça dépend de mon père. Il faut pas qu'il revienne, il faut qu'il me laisse tranquille. On n'a pas besoin qu'il vienne encore me caresser les cheveux, et me parler de ces choses sales avec Franck. Je veux pas. Je le dis à ma peluche, mais ça va pas marcher je crois.

Il m'a encore réveillée, mon père. Il s'assoit sur le lit. Cette fois, j'ai vraiment peur de cette expression qu'il a. Il a les yeux méchants et il tire sur le drap.

Je lui demande ce qu'il fait dans ma chambre et lui il reparle de Franck. C'est une obsession. Il me caresse les cheveux, puis la figure, il veut savoir où Franck me caresse.

14

Mon Dieu, maman que j'ai peur. Il fait des choses qu'il ne fait jamais d'habitude. Il me serre dans ses bras, il me fait des bisous dans le cou, il pose ses mains sur mes bras, puis sur mon ventre. C'est pas normal, je peux pas le laisser faire ça. Je me tortille, je recule vers le mur, je rampe à l'autre bout du lit mais il continue. Je sais qu'on n'a pas le droit de lui dire non. Il déteste ça. Il veut qu'on obéisse, qu'on le respecte sinon on est de la merde. J'obéis toujours, parce que je crois que c'est important d'écouter ce qu'il dit. Mais là, je peux pas. Je veux qu'il se tire. Mon Dieu, faites qu'il se tire, qu'il arrête de me tripoter comme ça partout.

— Arrête, papa, je veux pas ! Tu vois bien que je veux pas ! Je veux que tu me laisses tranquille.

Il entend pas ou il fait comme s'il entendait pas. J'en ai marre de tout ce cinéma. Il essaye toujours d'aller plus loin, il veut toucher ma poitrine, j'en ai presque pas, elle est à peine formée. J'ai même pas de soutien-gorge. Maman m'en achètera un l'année prochaine, quand je rentrerai en cinquième, sûrement. Qu'il se tire, mais qu'il se tire !

— Papa, tire-toi s'il te plaît !

Il fait même pas attention à ma façon de parler. D'habitude je dis « tire-toi » à mon père, mais c'est pas à mon père que je parle, même si je l'appelle papa, c'est à quelqu'un d'autre que je parle, à un type qui vient me toucher dans mon lit, le soir, qui me réveille pour ça.

— J'en ai marre papa, tire-toi !

Ça y est. J'ai tellement insisté qu'il est parti dans son peignoir marron. Je suis sauvée. Mais pour combien de temps ? Il va revenir comme ça tous les soirs ? Il va falloir que je supporte ce type ? C'est plus mon père, cet homme-là. Qui c'est ? Je comprends plus. Ça se brouille dans ma tête, je sais pas ce qu'il veut. Il veut quelque chose, mais quoi ? Je suis que sa petite fille, qu'est-ce je peux faire ? Je peux pas lui donner grand-chose. Ma mère dort, elle est fatiguée. Elle est pas comme lui, elle dort la nuit. Lui jamais. Il vit aussi la nuit, mais différemment.

15

Qu'est-ce qui s'est passé ? Qu'est-ce que j'ai fait pour que ça soit plus pareil ? Qu'est-ce qui lui prend de me réveiller soi-disant pour discuter ? Et il veut pas que discuter. Je croyais ça au début. Mais c'est fini. Il se cache. Il attend que tout le monde dorme. C'est facile, on doit dormir de bonne heure. Pas le droit de regarder la télé, après huit heures du soir. Pas le droit de jouer dans la rue, sauf le dimanche. Pas le droit de dire des gros mots, pas le droit d'aller au cinéma. La discipline. Il a que ça dans la tête, la discipline et le travail. L'obéissance. Le respect. Pour vous, mon père est un type bien, travailleur, un « bosseur », comme il dit chez lui, il entend être le maître et pas question de contester quoi que ce soit.

Quand j'avais dix ans, ma grand-mère m'a raconté des trucs qui m'ont fait douter de lui. Mais je savais qu'elle l'aimait pas. Je me souviens bien, je mangeais du raisin, on était en Belgique pour les vacances, avec ma sœur, et mamie a commencé à me raconter des histoires sur le mariage de mes parents. Avant de connaître ma mère il avait rencontré une fille, il était vachement amoureux d'elle, ils se sont disputés un jour, et ç'a été terminé. Après ça il a épousé ma mère. La première année, tout allait très bien. Et puis il a rencontré cette fille à nouveau, et mamie dit qu'il l'avait toujours dans la peau cette saleté de femme. Il a trompé ma mère, elle a voulu divorcer, mais il voulait pas. Ça faisait que deux ans qu'ils étaient mariés, et moi j'étais là.

Il faut que je réfléchisse à tout ce que m'a raconté mamie, cet été-là. J'avais dix ans, et j'avoue que ça m'est passé un peu au-dessus de la tête. Mais maintenant je comprends. Il s'est passé une chose anormale, mon père voulait continuer à vivre avec ses deux femmes en même temps. Seulement ma mère a refusé. Elle a demandé le divorce, et voulait me garder. Pour une mère c'est légitime. Mais lui, il voulait rien perdre. Ni sa femme, ni sa maîtresse, ni sa fille. Donc c'était un salaud, déjà à cette époque-là.

16

Mon père est un salaud. Mamie me le disait, et je me rendais pas vraiment compte de ce que ça voulait dire, salaud, pour mon père. Parce que c'était mon père. Dans ma tête, mamie disait ça parce qu'elle l'aimait pas. Maintenant, c'est moi qui le dis. Je suis là, terrée au fond de mon lit, parce qu'il va revenir encore ce soir, pas de doute là-dessus. Le salaud va revenir. Que je fasse semblant de dormir ou pas, c'est pareil. Il revient tous les soirs maintenant. Il se fiche pas mal que j'aie peur. Il écoute rien de ce que je dis. Il est méchant tout de suite, dès que je fais un geste ou un mouvement pour me barrer. Pas le droit de fermer la porte à clé, ou d'aller dormir ailleurs. Y a pas d'ailleurs. Y a la chambre des parents, où ma mère dort, celle de ma sœur et de mon petit frère, où ils dorment tranquilles, eux. Pas moi. Pas d'ailleurs, pas de ciel qui répond.

Alors je comprends maintenant ce que racontait mamie. La séparation de corps, et les visites chez papa un dimanche sur deux pour moi. Il avait pris un bar, et cette fille travaillait avec lui. Je devais avoir deux ans à tout casser, et le premier dimanche ça s'est bien passé. Il m'a ramenée chez mamie à six heures du soir. Mais le deuxième dimanche, le scandale. Il voulait plus me rendre. Tout le monde s'est inquiété, ma mère a prévenu la police, on savait pas où il était, et moi avec. Le lendemain, il est venu voir ma mère. Moi, il paraît que je pleurais dans la voiture où il m'avait enfermée, pour plus de sûreté. C'est maintenant que je comprends tout ce que mamie me racontait. Il a fait un chantage terrible, en disant qu'il allait se suicider si ma mère le suivait pas dans la nouvelle ville où il allait travailler. Elle a cédé. Mamie m'a dit : « Qu'est-ce que tu voulais qu'elle fasse, il te gardait prisonnière, il disait qu'il allait se suicider... En plus il l'a tapée devant toute la famille. C'est un lâche ! »

Dire que je croyais qu'elle disait des bêtises. Qu'elle en rajoutait, parce qu'elle le détestait.

Un salaud, un pourri et un lâche. Moi, en rentrant de vacances, j'ai demandé des explications à papa, sur cette histoire de fille dont il était amoureux et tout le reste, et le divorce. Je voulais qu'il me le dise lui-même comment ça c'était passé. Maman n'en avait jamais parlé. Et j'avais rien à lui reprocher, il était toujours gentil, il me battait pas. Ce que j'ai compris de ses explications, c'est qu'il avait fait des bêtises dans sa jeunesse, mais que c'était fini. Normal.

Maintenant je sais que non. J'ai douze ans et demi, et j'ai grandi, comme il dit, et je l'appelle salaud, pourri, ordure, lâche.

Parce qu'il ne me lâche pas d'une semelle. Tous les soirs. Et moi je me retrouve assise dans mon lit, à prier le ciel pour que ça s'arrête. Et le ciel m'a sûrement pas entendue. Dieu est trop occupé pour faire attention à moi.

Le plus dur c'est de trouver comment lui dire que j'en ai ras le bol. J'ose pas. Je me demande tout le temps ce qu'il faut faire. Est-ce que je dois accepter la situation parce que c'est mon père, ou lui dire que je veux plus ? Vraiment. Qu'il doit arrêter de faire ça tous les soirs ? Ça me rend malade, j'ai une boule dans la gorge rien que d'y penser. L'angoisse. Toute la journée je tourne ça dans ma tête, en faisant les choses habituelles, en jouant au tennis avec Franck, en tapant sur ma machine à écrire, en jouant sur mon clavier électronique. En mettant la table, en aidant maman à faire la vaisselle. Ça ne me sort pas du crâne, je sais que la nuit va venir, et qu'il va ouvrir cette saleté de porte. Combien de temps déjà, que je ne suis plus la même ? Des semaines. Le temps passe comme un brouillard de trouille permanente. Mes journées sont différentes, je ne vis plus comme avant, je me suis évaporée ailleurs, va savoir où.

Ma chambre n'est plus ma chambre, mon petit coin à moi, mon monde à moi, où je faisais des rêves, où je m'inventais des histoires magiques. Il a tout gâché, tout sali. C'est plus chez moi, ni à moi, c'est une chambre banale, froide, avec un lit et une porte. Et il ouvre cette porte, il vient sur ce lit, et il me salit. J'ose même plus me déshabiller. Si je pouvais me fourrer dans les draps avec mon jean et mon T-shirt, si je pouvais coudre les draps pour qu'il ne me touche plus. Si je pouvais faire un mur de béton à la place de cette saloperie de porte. Je trouve pas de solution. Je suis sale, il est sale. Le pire, c'est que je ne peux pas le dire. Je n'y arrive pas. Il a le droit de faire ce qu'il veut avec sa fille, sa petite fille chérie comme il dit. Si je résiste, ou si je crie... admettons que je crie... Il va me battre. Il a bien battu ma mère quand elle voulait pas le suivre. Il me battra moi. Je le vois dans ses yeux. J'ai pas le droit de dire ce qu'il fait. Je sais pas où c'est écrit, mais c'est écrit quelque part. En plus j'ai peur. C'est sûrement ma faute. Comment ça se fait que je ne sois plus son bébé, son petit trésor qu'il ne faut pas toucher. Qu'est-ce que j'ai fait de mal ? C'est Franck ? C'est parce que j'ai un amoureux ?

C'est vrai que je suis grande maintenant. Ma tête a changé à l'intérieur. Je suis toute seule dedans. J'ai des idées pas comme les autres. Pas comme avant. Des idées de peur. Je me sens comme si je ne pouvais plus parler à personne.

Mon grand copain, le bon Dieu, va peut-être m'écouter ce soir. C'est une belle nuit. Il fait chaud, et je me vois naviguer dans l'océan des étoiles. Je regarde la nuit par la fenêtre. Il va pas me gâcher cette nuit-là. Ni aucune autre. C'est fini. Je vais remettre les pendules à l'heure, comme il dit. Je veux retrouver la vie d'avant. Le propre comme c'était avant.

Il entre, il est là. C'est mon père, et j'ai peur dans tout le corps, dans toute la tête. Je tremble à l'intérieur. Il m'a surprise une fois de plus. Je voulais être debout, pour qu'il ne vienne pas sur le lit, et il est arrivé avant. Je suis coincée sur ce lit. Il s'allonge près de moi, il caresse mes cheveux, il commence toujours comme ça, par les cheveux. Après il laisse sa main glisser, comme s'il n'y faisait pas attention, et moi je dois faire comme si je ne faisais pas attention non plus. Mais cette fois, il va plus loin. J'ai mis ma chemise de nuit longue, celle qui descend jusqu'aux pieds, pour me protéger. Mais il cherche en dessous, il veut enlever ma culotte. Je l'ai gardée exprès et il veut me l'enlever. Ça, il ne faut pas. S'il fait ça je ne pourrai plus jamais l'aimer. Il faut que j'aie le courage de bouger, pour l'empêcher. Je me redresse brusquement, et je file à l'autre bout de la chambre. Ça y est, j'ai échappé à ses mains.

— Qu'est-ce que tu fais ?

— Je veux pas.

— Viens ici.

Il a les yeux méchants. Il va se mettre en colère, mais tant pis, je le savais, je vais lui dire :

— Je veux pas que tu fasses des choses comme ça. Ça me dégoûte.

Jamais je n'ai vu son visage changer aussi vite. Même la couleur de ses yeux. Il me prend violemment par le bras, ouvre la porte et me traîne dans le couloir, jusque dans la salle de bains. La maison est silencieuse, tout le monde dort, et il me serre si fort le bras pour m'empêcher de faire du bruit, il a l'air si énervé, que je ne comprends pas ce qui se passe. Je croyais que si je disais « non je ne veux pas, ça me dégoûte », il allait arrêter. Il ne m'a jamais obligée à faire des choses que je ne voulais pas. A table, si je ne veux pas manger quelque chose, et que je dis « j'aime pas », on ne me force pas. Mais à lui, on n'a pas le droit de dire non. « Non », pour lui c'est comme une insulte. Il n'y a que les adultes qui peuvent dire non. Et moi je viens d'entrer dans ce monde adulte, j'ai dit « non » pour la première fois. Et ça ne marche pas. Interdit le « non ». Il m'engueule, à voix basse dans la salle de bains, sans me lâcher le bras.

— Je comprends pas. Toutes les nuits quand je suis venu te voir, tu n'as pas dit que tu n'aimais pas ça ? Tu te fous de la gueule de qui ? Tu sais comment on appelle les femmes qui agissent comme toi ? Des salopes ! Tu entends ? Ce sont des salopes !

Il arrive à crier sans crier, sa bouche est si près de mon oreille que j'entends résonner les insultes dans mon crâne.

20

J'ai envie de pleurer, mais je dois me défendre d'abord. Ma voix tremble.

— Papa, c'est pas vrai. Chaque fois que t'es venu je t'ai dit que je voulais pas. Tu m'as pas écoutée. S'il te plaît, laisse-moi. S'il te plaît, laisse-moi tranquille.

Ça le met encore plus en colère. J'ai mal au bras, ma main est toute rouge tellement il serre fort, en me secouant. Je panique complètement. J'entends encore des insultes, des phrases incompréhensibles, des mots que j'attrape au vol. Il dit encore que je suis une salope, que je n'aime pas mon père. Toutes les petites filles doivent aimer leur père, et moi je me conduis comme une salope qui n'aime pas son papa...

C'est ça aimer son papa? Je ne voyais pas les choses comme ça. D'abord je l'aimais, je l'aime encore, mon papa. C'est parce que je veux l'aimer que je refuse les choses sales qu'il veut me faire. Comme de m'enlever ma culotte. Un papa ne fait pas ça à sa fille. Je le sais. C'est pas normal. Mais il dit que si, que je dois l'aimer comme ça. Les larmes me sortent des yeux, si vite, et je n'ai qu'une main pour les repousser en arrière, pour ne pas être aveuglée.

Il m'a lâchée. Il a ce geste, toujours pareil, de rajuster le peignoir marron, et il sort en me laissant seule. Seule. Je suis seule dans la salle de bains. Qu'est-ce qui se passe? Il m'a punie? Il m'a enfermée là? Il faut que je comprenne pourquoi il est si en colère. Comprendre, comprendre, je n'y arrive pas. C'est toujours la panique. C'est pire que le jour où je suis tombée dans l'eau, à la mer, je buvais la tasse et j'étouffais. Je me souviens de cette panique, je croyais que c'était la pire. Quand on est tout seul à se débattre. Ce soir, dans la salle de bains, c'est pire encore. J'en peux plus. Je suis toute seule, toute seule.

Il est revenu. Pas le temps de ravaler mes larmes et de reprendre mes esprits. Il se remet à crier à voix basse, c'est terrible. Il va partir, il va s'en aller à cause de moi. Il va s'habiller très vite et faire sa valise, pour ne plus m'empoisonner l'existence. Puisque « mademoiselle » fait des caprices, puisqu'elle n'aime plus son père, eh bien, il s'en va ! Tout le monde saura qu'il est parti à cause de moi, voilà, c'est moi la coupable, c'est de ma faute.

— A cause de toi, tu comprends ça ? Je vais m'en aller et c'est de ta faute !

Mais qu'est-ce que je dois faire ? Je ne veux pas qu'il s'en aille de la maison, je veux seulement qu'il arrête de me toucher. Qu'il ne me réveille plus en pleine nuit pour faire ces choses...

Il a pris les clés de la Mercedes, il les secoue dans sa main. Il va vraiment partir, en pleine nuit, me laisser seule, et demain, qu'est-ce qui va arriver ? Il n'y aura plus personne pour me défendre. Je n'aurai plus de père ? Il faut que je me calme et que je lui dise, que je le rattrape :

— Papa ne pars pas, je t'en supplie. Ne t'en va pas. Reste avec nous s'il te plaît. Par pitié papa... papa, papa, papa...

Voilà ce que je lui dis, à genoux. Je pleure, j'ai mal, j'ai peur, et je le supplie à genoux de rester à la maison. Je le poursuis jusque dans la cuisine, pour le supplier. Il s'assied, il allume une gauloise sans filtre, celles qu'il paie cinq francs le paquet. Il a l'air calmé, mais ne veut pas discuter.

— Va te coucher.

J'obéis. Je m'en vais la tête baissée, j'ai honte. Je viens de comprendre une chose : il m'a fait du chantage ! Et moi j'ai marché. J'ai cédé. J'ai honte d'avoir pleuré, de l'avoir supplié de rester. Parce que je n'ai plus CONFIANCE en lui. Voilà, je l'écris en grosses lettres dans ma tête, ce mot-là : CONFIANCE.

Dans ma chambre, je me répète ça à l'infini. Je sais maintenant une chose que je ne savais pas, parce que j'étais trop petite, et qu'il ne m'était rien arrivé encore de très grave. Aujourd'hui, il est arrivé quelque chose de grave : avoir confiance en quelqu'un c'est l'aimer. Je le sais maintenant. Quand on est petit on dit des mots sans les comprendre. Quand on est petit, papa te met sur une balançoire, t'as peur, et il dit : « N'aie pas peur, tu as confiance en moi, je vais te pousser doucement, tu vas voir c'est amusant. » Et il dit la vérité. C'est amusant, et on a confiance en papa. Papa pousse la balançoire, et on rigole.

Papa vient de dire des mensonges. Ce n'est pas vrai qu'on doit aimer son père quand il fait des choses sales, qu'il veut enlever ta culotte. Pas vrai. J'ai plus confiance en lui. Je l'aime plus.

Je demande à mon grand copain le bon Dieu, de m'expliquer. Personne ne me répond : y a que le silence, étouffant. Je veux savoir pourquoi je suis punie. Pourquoi le bon Dieu ne vient pas me dire ce que je dois faire. S'il ne vient pas quand c'est grave, s'il ne répond pas, c'est qu'il n'est pas là. Il m'a laissée toute seule, lui aussi.

Je m'en fous de toutes ces poupées qui traînent sur le lit, je m'en fous, j'en veux plus. Je vais dormir. Demain je me réveillerai, et ça sera pas vrai.

Je grelotte sous le drap. Dans ma chemise de nuit, dans ma culotte. J'ai beau fermer les yeux, je vois toujours les mêmes images, les mêmes choses terribles. Et s'il revient ? S'il revient maintenant ? Qu'est-ce qui va m'arriver encore ? Je n'ose pas regarder la porte. Je serre les yeux très fort.

Voilà qu'il fait jour, et que c'est demain. Un demain pas pareil aux autres. Comme moi.

Je n'ai plus l'esprit tranquille. Je me fous du soleil, je ne pense qu'à une chose, cacher mes ennuis. Je ne sais pas ce qui m'arrive et ce qui va m'arriver. C'est le désert. Je vais faire une partie de tennis avec Franck. Il me trouve désagréable, mais ne pose pas de questions. De toute façon, je pourrais rien lui dire. A lui comme aux autres. Je me suis juré dans ma tête de ne plus rien dire à personne. C'est comme ça maintenant. Je vais vivre seule avec toutes ces idées noires. Ne rien dire, pour que papa ne se fâche pas, qu'il ne menace plus de partir. Si je craque, s'il part, ça sera de ma faute. Il faut que je la boucle, que je la boucle, que je la boucle !

J'aime bien les yeux de Franck, comme des noisettes. Il est plus grand que moi, mais on s'en fiche, on est amoureux. Un vrai amour. Franck existe, heureusement. Il est gentil, il est beau, il est sportif, il est à moi. On a notre secret à nous. Les parents ne peuvent rien contre ça, et ils l'aiment bien. Papa aime bien Franck. Il faut que je garde les deux. Je suis triste à mourir et je ne meurs pas. Je vis. Mal dans ma peau, mal à table, mal au tennis, mal avec les autres, mal avec Franck.

Il faut que je me débrouille pour ne plus être seule avec mon père. Je dois être rusée. Calculer les heures où je ne dois pas être à tel ou tel endroit. Il est malin. Il dit toujours, malin comme un singe à qui on n'apprend pas à faire des grimaces. Alors ça va être difficile de ruser.

Par exemple, je peux aller chez ma tante Marie plus souvent. Elle habite à cent mètres de la maison. Quand je ne serai pas avec Franck, je filerai chez la tante Marie, comme ça plus de problèmes. Je ne peux plus rester seule. Ça c'est pour le jour, mais la nuit... La nuit reste un problème. J'ai peur d'être dans une pièce noire, sans lumière. J'ai même peur de regarder la nuit par la fenêtre du HLM. Avant j'étais contente la nuit. Au quatrième étage on voit les étoiles, on voit la rue, les autres immeubles, la lumière derrière quelques rideaux. J'aimais bien la nuit. Comme mon père. C'est un noctambule, il travaille et il vit la nuit. Ça me plaisait. Maintenant j'ai peur de la nuit et de tout. J'ai peur de moi, de lui.

Les jours et les nuits passent dans cette peur. Je ne sais pas combien. Aujourd'hui, je suis seule avec Fred, mon petit frère, mon petit amour de frère. Il est intelligent, drôle. Je le regarde jouer en bas dans la cour. Tout le monde est parti travailler. Je vais faire la vaisselle, et appeler tante Marie au téléphone, pour annuler la sortie. J'ai pas envie. Je voudrais me reposer. Dormir quelque part sans avoir peur. Pas dans ma foutue chambre. Je peux plus la voir. Chaque fois que j'y entre, les images horribles me reviennent dans la tête. Je vais m'allonger sur le lit de Fred

24

dans la chambre de Fred. C'est propre, rassurant. Je vais dormir un peu. Je suis un peu malade, sans savoir de quoi. Fatiguée. Tellement fatiguée que je ne peux pas aller jouer au tennis. Franck vient d'arriver. J'aurais voulu rester seule aujourd'hui avec ma tête malade.

Franck s'assoit par terre, et je reste allongée quand même. Trop fatiguée. Il me trouve bizarre.

— Qu'est-ce que t'as ?

C'est ça l'ennui, les questions. On peut pas être tranquille, il faut parler aux autres, même quand on n'en a pas envie. Pauvre Franck.

— J'ai rien. J'ai pas envie de jouer.

On reste là tous les deux, lui par terre, moi sur le lit. Il est loin de moi. Je n'ai pas envie de lui parler, surtout pas à lui. C'est fatigant de mentir. C'est épuisant de répéter tout le temps qu'il n'y a rien. Alors que je suis si mal.

Je me sens pas en sécurité. Pourtant il fait jour, et mon père est parti travailler, maman aussi, la maison est calme, je devrais pouvoir me reposer sans avoir peur. Ça y est, j'avais raison. Je l'ai senti. Il vient d'arriver, la porte de l'entrée a claqué, j'entends sa voix dans le couloir. Il ouvre la porte d'un coup, avec un grand geste, comme au théâtre. Et il se met à hurler, à crier des injures, si vite et si fort, que je ne comprends rien. C'est flou dans ma tête. Un nuage de terreur. Franck ne sait plus quoi faire. Il bafouille des trucs pour que mon père ne se méprenne pas sur nous, on était dans la chambre à discuter, c'est tout.

— Elle voulait pas aller au tennis, je suis passé pour ça...

Mais l'autre... mon père, il fait comme si c'était abominable. Comme s'il venait de se passer des choses entre Franck et moi. Il hurle, il passe par toutes les couleurs. Il flanque mon amoureux à la porte, en trois secondes.

Il dit qu'on a couché ensemble ! Il dit ça ! Il sait bien que c'est pas vrai. Qu'on est trop petits pour faire ça. Même Franck qui a quinze ans, est trop petit. On n'en a même jamais parlé. Il l'a flanqué à la porte, et il a rien dû comprendre le pauvre Franck. Maintenant il va croire que c'est moi qui ai fait quelque chose de mal. Mais quoi? Merde! Quoi? Qu'est-ce que j'ai fait de mal?

Pourquoi il hurle comme ça?

Une fois de plus me voilà seule avec lui. Il gagne toujours à ce jeu. J'ai beau ruser, calculer, faire des combines, il arrive toujours à gagner. J'ai tellement peur cette fois, que je n'entends pas ce qu'il hurle, en me fusillant des yeux. Il s'approche de moi, j'ai les entrailles nouées. Ça m'empêche de réfléchir, et d'entendre les insultes qu'il continue de hurler. Il se jette sur la fenêtre et ferme les volets. Qu'est-ce qu'il a? C'est idiot tout ça. On est dans la chambre de mon frère, en plein jour, et il ferme les volets. La pièce est toute noire. J'ai peur du noir. Je ne vois plus les objets, je flotte dans le noir comme si j'allais couler dans la mer et me noyer. Quand je ne vois plus les choses autour de moi, j'ai le vertige. Plus rien pour accrocher les yeux, pour tenir debout. Je voudrais la lumière, j'en ai besoin pour résister, pour me défendre. Dans le noir, je suis paumée. J'entends maintenant ce qu'il hurle en s'approchant de moi.

— Garce! Espèce de petite garce! Salope!

Il croit vraiment que j'ai fait quelque chose de mal avec Franck? C'est pas possible. C'est quoi une garce? Une salope, c'est moi, il me l'a dit déjà, mais une garce.

— Je vais t'étrangler, espèce de garce!

On dirait qu'il souffre. Que je lui ai fait mal, avec cette histoire de Franck qui n'existe même pas. Il souffre peut-être, mais il ne pleure pas. Il a une voix grave, sèche, j'entends dans le noir:

— Déshabille-toi!

Il y a une petite lumière qui filtre à travers les volets, je m'y accroche comme je peux, pour obéir. Il ôte la ceinture de son pantalon. Je pleure si fort, que je tremble en ôtant mes vêtements, j'y arrive mal.

— Déshabille-toi j'ai dit! Enlève tout!

J'ai honte d'être nue. C'est terriblement difficile d'être

26

nue. Quand je suis nue, je me sens comme une feuille d'arbre qui dégringole dans le vent d'automne, on va lui marcher dessus. Elle n'est plus rien. Toute nue.

Je suis pudique. J'aime pas me montrer, même à la gymnastique, même aux copines.

Pourquoi il arrête pas de hurler comme ça ? Il m'oblige à me mettre à genoux, je vois la ceinture de cuir s'élever au-dessus de moi, puis retomber. Il a frappé sur ma poitrine. Il recommence, et il a l'air heureux maintenant. Il frappe comme si ça lui faisait plaisir. Il ne hurle plus. Il frappe, sans s'arrêter, régulièrement. Je serre les dents, je me mords la bouche pour ne pas crier, j'attrape mes cheveux à pleines mains, je tire sur mes nattes. Je sais qu'il ne veut pas que je crie. Si je crie, il me fera plus mal encore. On ne doit rien entendre, rien savoir de ce qu'il me fait dans le noir. Il est heureux. Je le vois parce que je quitte pas ses yeux qui brillent. Je les suis à chaque coup de la ceinture de cuir, il voit bien que je pleure, que je n'arrête pas de pleurer en silence, et il ne cesse pas de cogner. De temps en temps, j'entends « sale garce ».

Je suis sa sale garce. Ce regard-là, je ne pourrai jamais l'oublier. Il m'apprend que je suis la petite garce de mon père, et que mon père aime ça. Il aime frapper. Il aime que je sois sa garce. Il est immonde. Dégueulasse. Infect.

Je croise les mains au hasard, sur des morceaux de peau, pour éviter les coups, mais ça continue de cingler. Il a l'œil ce salaud de père. Ce salaud. Je ne veux plus jamais qu'on me dise qu'il est mon père.

Il est heureux et il en a rien à foutre que j'aie mal, que je pleure. Rien à foutre de mes entrailles tortillées. Il ne pense pas à moi, mais à lui.

Il dit qu'il veut me purifier, ce salaud. Il veut soi-disant me laver du mal. Mais qui c'est le mal entre nous deux ? Lui ou moi ? J'ai envie de vomir tellement j'ai mal. Tellement il me dégoûte. J'ai envie qu'il crève aussi. Qu'il crève sur place, comme ça d'un coup. Pour qu'il me foute la paix. Parce que j'ai rien fait. Merde. J'ai rien demandé moi ! J'ai pas couché avec Franck ! C'est une connerie énorme de dire ça.

— Tu as couché avec ce salopard. Tu es une petite garce ! Une vraie petite putain, voilà ce que tu es ma fille ! Une traînée. Tu as couché avec ce type, tu as couché avec lui !

— Arrête, papa, arrête, je t'en supplie. J'ai pas couché avec Franck, il faut me croire c'est la vérité !

— Tu mens. De toute façon tu es une menteuse. Je ne te croirai plus maintenant, c'est fini ! Petite garce !

Et il frappe, encore, j'ai beau essayer d'éviter les coups, il m'atteint tout le temps. Ce salaud est diabolique.

— Papa, j'ai pas couché, c'est la vérité. Emmène-moi chez le docteur ! Il te le dira lui, que c'est vrai. Il te donnera la preuve ! je sais qu'on peut faire ça... papa...

Ça m'écorche la bouche et le cœur de dire « papa », mais il faut qu'il s'arrête de frapper, mon Dieu, j'ai trop mal.

Ça l'a surpris que je parle du médecin de la famille. On le connaît depuis toujours, depuis que je suis bébé.

— On n'a pas besoin du docteur. Je suis capable de voir ça tout seul.

Il a cessé de frapper. Mais je comprends pas ce qu'il raconte. Il est complètement dingue. Il va pas jouer au docteur ? Je joue pas moi. J'ai mal. Il se rend pas compte de ça ? Me faire croire qu'il sait faire le docteur. Je suis une gosse, mais quand même...

Il me jette sur le lit du petit frère. Je me fais toute petite, en tas, en boule, pour qu'il ne me touche pas. Je ne veux pas qu'il me touche partout. PARTOUT. Je sais ce que c'est PARTOUT.

— Reste tranquille. Je suis assez grand pour savoir si tu as couché avec lui. Allonge-toi et laisse-moi faire !

C'est un étranger. J' sais plus qui c'est et ce qu'il va me faire. Je peux plus essayer de comprendre ce qui se passe. J'ai plus de force.

Il me regarde bien, longtemps. Après il s'assoit à côté de

moi, il a les gestes lents pour replier mes jambes vers le haut. Il regarde. Je sais pas ce qu'il regarde. J'ai honte de tout, de moi, de lui, de la position qu'il m'a obligée de prendre. Je pleure encore, en espérant l'attendrir, peut-être que ça va arranger les choses. Mais ça marche pas. Pas de pitié, rien que la méchanceté. Même en me regardant pleurer, il ne change pas d'idée. Même en me disant d'arrêter de pleurer, il continue son truc à lui. Il caresse mes jambes, toutes maigres, elles tremblent. Il a des mains énormes à côté de mes petites jambes. Il me murmure des mots, mais j'ai les oreilles bouchées par les larmes, je comprends rien. Je sens son bras bloquer le haut de mon corps. Il veut m'empêcher de me redresser, de voir ce qu'il fait.

J'ai toujours eu peur des choses inconnues. Des inconnus. Et l'inconnu, en ce moment, c'est mon père ! Je le connais pourtant. Maintenant plus. Je me contracte de toutes mes forces. Je me serre à l'intérieur. Je serre même le mal qu'il me fait en me touchant. J'ai la bouche sèche, et toujours envie de vomir.

Quelque chose vient d'entrer en moi. Un quelque chose écœurant, sale.

— Qu'est-ce que c'est ?

— Tais-toi.

J'ai une idée bizarre. Je sens mon cœur se serrer dans ma poitrine. Je suis sûre que si on pouvait le voir ce cœur-là, petit, tout petit, de plus en plus petit, on le verrait disparaître. Comme moi.

Je voudrais savoir ce qu'il a entré en moi. Je demande plusieurs fois ce que c'est, mais il ne veut pas répondre. Je n'ai pas le droit de savoir. Je sens ce quelque chose me gratter, bouger dans mon ventre, et ça fait mal. J'ai mal au ventre, et je sais même pas ce qui me fait mal. J'ai beau le supplier il ne répond plus. C'est comme si je parlais au mur. J'en ai marre. Je pleure, j'ai mal, et tout le monde s'en fout. Il n'y a personne pour arrêter cette horreur. Personne. Vide la chambre noire, vide l'appartement noir, vide le monde.

Je peux pas rester comme ça, allongée, à ne rien faire. J'essaie de dégager mes jambes, de mettre mes coudes sur le lit pour voir ce qui se passe, pourquoi j'ai mal. Pas le temps. Mon père m'envoie une grosse gifle, je retombe en arrière. Plus question de bouger. A côté, par terre, il y a la ceinture. Si je bouge il va recommencer avec ça. Je préfère encore les claques.

J'essaie de retirer sa main, posée sur mon sexe. Ça fait de plus en plus mal. Il faut que j'arrive à m'enlever de là. Impossible. Je suis clouée.

Maintenant qu'il m'a bien fait mal, qu'il m'a rabaissée plus bas que tout, il enlève sa main. Mon ventre est soulagé. J'ai moins mal, presque tout de suite. Mais la nausée ne me lâche pas, elle. Il me relève, mais mon corps seul se relève. Pas ma tête. Elle reste baissée. Je ne peux plus le regarder, tellement j'ai honte. Voilà ce que c'est la vraie honte. Encore un mot appris. HONTE.

Il me tend mes affaires, m'oblige à m'habiller en vitesse. Moi je veux me laver. Il faut que je me lave.

Pas le temps. Je dois partir avec lui, aller travailler avec lui.

— Ma décision est prise, tu vas travailler avec moi. Je ne veux plus que tu restes seule à la maison. C'est hors de question.

Je m'habille. « J'ai couché avec Franck ou j'ai pas couché avec Franck ? » Il ne répond pas à cette question-là. Même ça, il ne veut pas. J'ai envie de dégueuler. De crever. Rien que de penser à ce qu'il m'a fait. Mourir. Ne plus exister. Être une ombre invisible, pour que plus personne ne me voie, et lui encore moins. Parce que je sais maintenant comment ça s'appelle. L'inceste. Même si j'ai rien vu. Même si je voulais pas. Même si j'ai pleuré, hurlé, c'est arrivé. Il m'a fait ça ce dégueulasse. Et, en plus, il faut que je m'habille et que j'aille avec lui travailler, pour qu'il me surveille. Quelle connerie j'ai fait ? La seule que j'aie pu faire c'est d'avoir un père comme celui-là. Il m'a piégée avec Franck dans la chambre. C'est facile. Moi sur le lit, lui assis par terre, la maison vide. Total : je suis une garce. Une salope. Coupable. Punie. Salie. Dégueulassée.

Il me traîne jusqu'à la Mercedes. Cette saloperie de Mercedes blanche. Encore un caprice à lui, à ce foutu père de merde. Et, en plus, je dois monter dedans. Et, en plus, on récupère le petit frère, en bas, qui jouait, qui ne sait rien, ne comprend rien, sauf que le programme a changé, il ne va pas rester dans l'immeuble avec les copains. Il va venir au travail, lui aussi pour me surveiller.

Maintenant j'ai moins peur. Toutes ces insultes dans la tête m'ont vidée, presque rassurée. Je repose la question dans la voiture, tranquillement. Qu'est-ce qu'il peut faire dans la voiture, avec mon frère ? Rien. Alors je demande :

— J'ai couché avec Franck ou pas ?

— Non. T'es contente ?

Je le savais moi. Je le savais. J'ai rien à me reprocher. Rien du tout. Pourquoi il m'emmène avec lui ? Je vais pleurer comme si tout recommençait. Rien n'est fini tout recommence. Mais qu'est-ce qui commence ? Je veux savoir. Et puis je veux rester seule. Je veux aller pleurer en paix dans mon coin. Je veux pouvoir me débarrasser de ma souffrance, en pleurant comme une dingue un bon bout de temps. Demander au bon Dieu qu'il m'emmène. Il n'y a plus de ciel ou quoi ? Plus de copain, plus de Dieu, plus de père ? Personne ne mérite ma confiance. Je ne peux plus croire en personne. Je veux plus entendre parler de Dieu. Il est si puissant, et il a rien fait pour empêcher ça ? Je lui ai pas demandé cent fois ? J'ai pas hurlé ?

Quand on est jeune, on te bourre le crâne avec des histoires qui existent pas. On te parle d'un soi-disant type avec des soi-disant pouvoirs qui existent même pas. Un mec puissant, qu'est même pas capable d'empêcher un père de faire ça à sa fille. C'est de la merde votre Dieu. De la merde. Je suis là, j'ai rien voulu, et j'y peux rien. C'est parce que j'ai douze ans et demi qu'on peut me faire ce qu'on veut ? N'importe quoi ?

Je l'ai laissé tomber le bon Dieu, comme il a fait pour

moi. Je suis restée sur ce lit à serrer les dents, à serrer le cœur, et à essayer de pas avoir mal. Sans lui.

Je l'aimais. Je priais. J'y croyais. Vous pouvez bien aller à la messe le dimanche, et vous mettre à genoux. Moi, on me dira plus qu'il est là, et qu'il veille sur moi. C'est des conneries. Rien que des conneries de merde.

Je suis en vacances, un jour de juillet. Je suis punie. Il m'a fait asseoir dans le grand garage où il travaille à réparer des auto-radios, sur un tabouret tournant. Alors je reste là à balancer mes jambes, à droite à gauche. La musique d'une cassette me vrille les oreilles, à contretemps. Je ne dois pas bouger de là, mais de toute façon j'en ai pas envie. Pas envie de marcher, de manger, de boire ou de parler. Pas envie qu'on me regarde. Il va le dire à maman, ce soir, quand elle rentrera de sa tournée. Maman vend des glaces dans un camion. Je connais une chanson sur les glaces. « Avanille et framboise... sont les mamelles du destin... la... la. »

Est-ce qu'il va lui dire que j'ai couché avec Franck ?

Les grandes de troisième parlent de coucher, des fois. Celle-là elle a couché... Les garçons disent : « Tu couches toi ? » en rigolant comme des idiots. Coucher, c'est dormir avec quelqu'un, et faire l'amour. Sur le mur du kiosque à journaux, l'autre jour j'ai vu une grande affiche d'un journal, *Union,* le magazine des rapports humains. Ma copine Arlette dit que c'est un journal où on explique tout. Sur l'affiche y'avait une fille en maillot de bain, le derrière à l'air. Et, en dessous, un titre, « L'amour à la missionnaire ». On n'a pas compris. Arlette voulait acheter le journal, mais elle n'a pas osé. Le type du kiosque a une sale tête.

J'ai pas couché. Qu'est-ce qu'il va dire à maman ? Je le déteste. J'arrive pas à le regarder, mais je vois bien qu'il me regarde dans son coin, en faisant semblant de travailler sur une voiture. Il discute avec un client, il tient des haut-parleurs dans les mains. Et il me surveille. Mon petit frère s'amuse avec du vieux matériel, il tire sur une bande magnétique, il en fait des tortillons.

— Regarde, Nathalie, ça colle sur les doigts.
— Fous-moi la paix !
— Ben, qu'est-ce que t'as ?

Je hausse les épaules. Je sais pas quoi faire de mes mains. Maman est sicilienne. Elle a une idée sur les filles. Sur ce qu'elles doivent pas faire surtout. En premier, il ne faut pas aller avec un garçon avant qu'on soit grande et que ça soit sérieux. Je suis pas grande. Juste un peu. Depuis le printemps quand j'ai eu les règles. Quand on les a, on est une petite femme, et il faut faire attention parce que ça veut dire qu'on peut avoir des enfants si on va avec les garçons.

Maman est bizarre. Elle m'a expliqué tout ça un jour, à table, en plein déjeuner. Devant papa. Je savais plus où me mettre. J'étais gênée qu'elle en parle comme ça, pendant qu'on mangeait tous. J'aurais préféré être seule avec elle, tranquille. Mais non, elle discutait du jour où j'aurais des règles, pendant qu'on mangeait des biftecks avec des frites.

Papa ne disait rien. Ma petite sœur écoutait vachement. Elle voulait savoir quand ça viendrait pour elle. Après on en a reparlé avec maman. Là c'était formidable.

— Tu verras, tu seras heureuse. Quand on devient une femme, tout le corps change, c'est beau d'être une femme.

Le jour où ça m'est arrivé, je suis sortie de la salle de bains en criant partout que ça y était. J'étais tellement contente. C'est vrai. Je me sentais toute neuve. Je rentrais dans le monde des adultes, j'étais fière comme tout.

Le monde des adultes c'est de la merde. Mon père est un con, et je le hais. Je peux plus le voir. Si c'est ça les adultes, j'en veux pas.

Qu'est-ce qu'il a ce type à me regarder comme ça? Je suis pas coiffée, mes cheveux dégringolent dans mon dos. Il me dit :

— Alors, la gitane?

Je suis pas une bête de cirque. Qu'il aille se faire voir.

J'aime tellement maman. Elle est belle, douce. Quand il va lui raconter tout ça, elle va me détester. Elle a pas le droit. J'ai plus de père. Il est mort mon père. Il est crevé aujourd'hui. Elle a pas le droit de m'abandonner.

Lui, j'ai l'impression qu'il va me frapper encore. Qu'il va faire pire que tout à l'heure.

Je reste là sur ce tabouret tout l'après-midi, à retourner toutes ces idées dans ma tête. Impossible de penser à autre chose. J'essaie mais j'y arrive pas. Ça me remplit la tête complètement. Y a plus que ça.

— Descends de là, on va chercher ta mère.

Je baisse la tête pour ne pas le regarder. Peut-être que je ne pourrai plus jamais le regarder, ce type. Papa, tu parles...

Même de m'asseoir sur le siège de la Mercedes, à côté de lui, ça me flanque la trouille. Dès que je vois sa main sur le levier de vitesse, j'ai un nœud dans l'estomac. Elle est dégueulasse cette main d'avoir fait ça. Je voudrais sortir cette image, mais elle revient tout le temps derrière mes yeux, même si je les ferme.

Quand on arrive, je saute de la voiture, pour aller dans celle de maman. Elle sait. Il a dû lui téléphoner dans la journée, je le vois à la tête qu'elle fait. Mais elle sait quoi?

35

— Papa m'a dit qu'il t'avait trouvée avec Franck cet après-midi à la maison. Qu'est-ce que tu as fait?

— On n'a rien fait de mal. On discutait.

— Écoute-moi Nathalie. Ne mens pas. Tu peux me raconter à moi.

— Ben rien, quoi! C'est juste que j'avais pas envie d'aller chez tante Marie. Je lui ai téléphoné, et puis Franck est venu, il voulait qu'on aille jouer, mais moi j'étais fatiguée. J'avais pas envie.

— Pourquoi êtes-vous restés dans la chambre?

— Parce que j'étais fatiguée.

— Il était sur le lit avec toi?

— Non. On discutait.

— De quoi?

— Je sais pas. On discutait.

— Ton père est fâché. C'est normal. Il ne faut pas recommencer, Nathalie.

Recommencer quoi? Elle sait pas grand-chose au fond. Il lui a pas dit qu'il avait fait le docteur. Ça je m'en doutais bien. C'est une saloperie qu'il a pas pu lui raconter. Et je peux pas lui dire non plus. C'est trop sale. J'ai trop honte. Elle ne me regarde pas comme d'habitude. Il a dû lui dire que j'étais une garce. Il a dû le dire à tout le monde. C'est pour ça qu'ils me regardent différemment. Je suis fautive. Pourquoi il me fait ça? Pourquoi? Puisque c'est pas vrai, j'ai rien fait de mal. Il veut que les autres me détestent.

Peut-être que c'est pas mon vrai père. Peut-être qu'on m'a trouvée quelque part, et que mes parents m'ont adoptée. Je ressemble trop à maman, c'est pas possible. Je suis sa fille. J'ai les mêmes yeux noirs, les mêmes cheveux noirs.

— Tu n'as rien d'autre à me raconter?

— Quoi? Qu'est-ce que tu veux que je raconte?

— Nathalie, ne prends pas ce ton! Quand on fait des bêtises, on se tait!

Ça, c'est le comble! Raconte ou raconte pas? Tais-toi... t'as fait des bêtises.

— Et puis tu pourrais te coiffer un peu.

36

Je suis la première dans l'ascenseur. Je monte avant les autres. Je veux pas être enfermée là-dedans avec lui.

Véronique aussi me regarde bizarrement.

— Qu'est-ce que t'as à me regarder comme ça ?

— T'es toute rouge !

— Qu'est-ce que ça peut te faire ?

Je cours dans la salle de bains, me laver. La figure, les mains, tout. Je me mets sous la douche. J'ai encore envie de vomir. Je suis pas rouge, je suis toute blanche.

— Nathalie, viens mettre la table ! En voilà une heure pour se laver la tête ! Tu es folle ? Tu veux dormir les cheveux mouillés ?

— Il fait chaud.

Je suis lavée, mais c'est pareil.

On est à table. Comme d'habitude, il parle de son boulot, c'est son sujet préféré. Il travaille pour un patron, mais il a le droit d'avoir un atelier rien que pour lui. Il va monter une société.

— Dans la vie, il faut être son propre patron. Sinon on s'en sort pas. Donne-moi du pain, Nathalie.

On dirait qu'il s'est rien passé. Mais moi j'entends sa voix autrement. Il ordonne, comme un patron. Il faut que je fasse le guet ce soir. Pas dormir. Surtout pas. Je dois guetter, pour qu'il ne vienne pas dans ma chambre.

Maman va se coucher tôt comme d'habitude. Elle dort toujours avant tout le monde. Elle n'est pas comme lui du tout. Je suis sûre qu'ils ne s'entendent pas. Des fois, on dirait qu'elle lui en veut. Peut-être qu'elle a peur de lui aussi. Il l'a battue quand il était amoureux de cette bonne femme. Pourtant elle arrête pas de nous dire qu'il faut lui obéir. Papa a toujours raison. Il dit : « Le maquillage c'est vulgaire. Moi je ne veux pas que mes filles se maquillent. C'est pour les filles qui n'ont pas de morale et pas d'éducation. J'aime qu'une femme soit naturellement belle. Si j'en prends une un jour avec du noir sur les yeux ou du rouge à lèvres, elle entendra parler de moi ! »

Éducation, tu parles. Je le déteste mais je le déteste !

Je débarrasse en vitesse, parce que maman est déjà partie se coucher. Elle prend un cachet pour dormir. Elle est très nerveuse et très fatiguée. Plus de maman à partir de neuf heures du soir. Plus de télé après le journal. Je file dans ma chambre. Je vais me coucher tout habillée. Et je vais guetter. Si jamais il vient, je dirai que je suis malade. Il pourra pas m'embêter si je suis malade.

Et si je me sauvais. Je pourrais faire une fugue, avec une valise, et mes affaires. Mais je sais pas où aller. J'ai peur d'aller toute seule dans la nuit. Où dormir ? Si je me sauve chez tante Marie, on viendra me chercher. Où est-ce qu'on va quand on fait une fugue ? De toute façon, on met ta photo dans les journaux, et la police te retrouve. Je vais guetter. Je guette. Je l'entends aller et venir dans l'appartement. Il va se chercher à boire dans le frigo. Il va regarder un truc à la télé. Non, il va dans la salle de bains, se déshabiller. Il va mettre son peignoir marron. On le lui a offert pour la fête des Pères, avec ma sœur, mon frère et maman. Il le quitte plus. On était contents du beau cadeau. Il retourne dans le salon. J'entends plus rien. Il doit fumer des gauloises devant la télé.

Il est tard. Le réveil Mickey résonne dans la chambre. Plus de bruit. Bon Dieu, fais qu'il aille dormir ! Me revoilà encore avec le bon Dieu. Je peux pas m'empêcher de lui demander des trucs. Laisse tomber le bon Dieu. Je vais penser très fort : « Va te coucher et fiche-moi la paix. » Si je pense ça sans m'arrêter pendant tout le temps, ça marchera.

Je me suis endormie sans m'en rendre compte. Il est là. Il me traîne hors du lit, je comprends pas ce qu'il dit. On est dans la salle de bains, et il continue à parler, il a l'air mécontent. Il faut que je me réveille complètement, mais j'ai du mal à tenir les yeux ouverts. Qu'est-ce qu'on fait dans la salle de bains ? Il est quelle heure ? J'ai pas guetté assez.

Il est fou. Il est tout nu devant moi. Un père ne doit pas se mettre tout nu devant sa fille.

— Enlève ça !

— J'ai sommeil, papa. Qu'est-ce qu'il y a ? Qu'est-ce que tu veux ?

— Je t'ai dit d'enlever tes vêtements ! Tu obéis, oui ou non ?

Ça recommence. Il me déteste. Il est méchant. Il en a après moi, encore.

— J'ai rien fait de mal papa... laisse-moi aller dormir.

Rien à faire. Il faut que j'enlève mes vêtements. Que j'enlève la chemise de nuit, et le pantalon que j'avais gardé dessous. Il est devenu fou, mon père, tout nu en face de moi. On est enfermés là-dedans, il a bloqué le verrou. On étouffe. Je regarde ses yeux. Je ne quitte pas ses yeux. Je pleure tellement qu'il va me laisser tranquille.

— Arrête de pleurer.

Il a posé sa main sur mon épaule. Et moi, je voudrais avoir des tas de mains pour me cacher partout. Je sens la sienne sur mon épaule comme un morceau de glace. Il est drôlement calme. Terriblement calme. Ce type est un monstre.

J'ai du mal à écrire cette scène-là. J'ai du mal, parce que je la revois trop nettement, en relief. Ça me paraît loin, et tout près à la fois. Comme si c'était hier. Je sais. On m'a souvent dit que je n'aurais pas assez de recul pour écrire. Je suis trop jeune, je n'ai que dix-neuf ans. Et je suis en train de vous raconter ce qui m'est arrivé quand j'en avais douze et demi. Pas encore treize. J'étais une petite fille qui ne comprenait rien du tout à ce qui lui arrivait. Ça c'est vrai, que je ne comprenais rien. Mais j'ai eu le temps de comprendre. Et, surtout, j'ai eu le temps de voir, et d'en prendre plein la gueule. C'est pour ça que j'écris. Que je m'efforce d'écrire ce que j'ai vu à douze ans et demi, comment ça s'est passé dans le détail. Comme un film. Parce que je veux que vous, vous le voyiez comme je l'ai vu. Ce qui va m'arriver dans cette salle de bains, c'est l'horreur. Chaque mouvement, chaque geste, je les ai gravés dans ma tête pour l'éternité. C'est comme ça. Ça ne pourra plus jamais s'en aller, c'est indélébile. Vous allez étouffer, vous allez avoir la trouille de ce que je vais raconter. Ça va vous dégoûter. Mais je vous interdis de ne pas lire. Vous n'avez pas le droit de vous barrer. Ce serait trop facile de faire ça. J'aurais vécu toute cette horreur, et ça ne servirait même pas à vous obliger à savoir ?

Le tabou. L'inceste. Vous savez le truc dont personne n'ose parler. Qui se juge à huis clos, quand il se juge, et si mal. Je veux que vous le preniez en pleine tête. Que vous ne puissiez jamais oublier, puisque moi je ne pourrai jamais. Comme toutes les autres gosses, bousillées, fichues.

Moi j'ai la force, la rage, la violence, le couteau dans la tête pour écrire ça.

Je suis en train de me dire, en écrivant, que peut-être, il y a un père qui lit ce que j'écris. Un salopard qui fait la même chose à sa fille en ce moment. Je veux pouvoir l'insulter à cette minute où il lit. Je veux lui cracher dans la gueule. Je veux qu'il sache que sa mouflette, elle le tuerait si elle pouvait. Qu'elle aura toujours envie de le tuer, ce salaud.

C'est pour cela que je m'efforce de rassembler les souvenirs, et c'est difficile. Parce qu'à douze ans et demi, devant un salaud de père qui fait ça, on est dans le brouillard. On est dans un brouillard de merde, poisseux, immonde. On n'arrive pas à parler, à se défendre. Le salaud vous enferme dans le silence, dans une prison sans barreaux. Invisible. On est obligée de se débattre toute seule là-dedans, dans sa tête, sans rien pouvoir dire. Sans pouvoir gueuler au secours. Parce que tout le monde s'en fout. Le monde regarde la télé pendant ce temps. Le monde va danser, bouffer, faire la fête. Le monde se regarde faire la guerre, discute politique, râle après des conneries. Et pendant ce temps, un père viole sa fille dans une salle de bains, tout tranquillement. Tout calmement.

Alors, lis bien ce que j'écris, salaud de père immonde, qui viens de faire ça à ta petite fille, à ton bébé, au petit trésor que tu berçais, que tu baladais dans une poussette, que tu prenais sur tes genoux pour lui faire des bisous. Qui t'adorait. Qui trouvait formidable de se pelotonner contre toi, de mettre son nez dans ton cou. De sentir ta main dans ses cheveux. C'était l'amour paternel, le vrai. Regarde bien ce que tu en fais, salopard. Aujourd'hui je peux reprendre la voix de mes douze ans et demi, pour te raconter ce que m'a fait ce père, cette nuit-là, en 1982, en juillet, en été. Pendant que ma mère dormait, que ma petite sœur et mon petit frère dormaient, que le monde entier dormait tranquillement sur ses deux oreilles. Je veux que tu voies les gestes, comme je les ai vus. Et que chacun te rentre dans le ventre comme un couteau. Que ça te tue des millions de fois.

Il a posé sa main sur mon épaule, et maintenant il la pose sur les seins. C'est une présence énorme, large, plus grande que moi. Les larmes jaillissent aussitôt sans que je les aie senties venir. La souffrance est dans ma tête en même temps, la terreur aussi. Il faut que je réfléchisse, que je trouve comment me battre. Mais la panique prend le dessus. Je me sens comme au-dessus d'un précipice, une main va me pousser dans le dos, je ne pourrai pas résister.

J'arrive pas à sortir un mot avant un long moment. Un seul petit mot, une barrière entre ce monstre et moi. Il faut que je respire. Je respire, je respire. Enfin j'y arrive :

— Qu'est-ce que tu fais ?...

Pas de réponse. Le silence étouffe la pièce minuscule. Il n'y a là qu'une machine à laver, un lavabo et une baignoire. Et puis une porte qu'il a fermée, et qui s'en fout. Sa mission est de s'ouvrir ou de se fermer, elle ne s'occupe pas des gens. Ça ne sert à rien de fixer cette porte, comme je le fais en répétant :

— Qu'est-ce que tu fais ?...

Si seulement il répondait quelque chose. Si seulement j'étais couchée comme les autres petites filles. J'ai sommeil, je suis si fatiguée.

Il dépose ses vêtements sur la machine à laver, prend sa ceinture. Encore la ceinture. Encore un cadeau de la fête des Pères. En plus, c'est moi qui l'ai choisie.

Il la plie en deux, fait claquer les extrémités l'une sur l'autre. Le bruit me prend les oreilles, m'hypnotise. Lui regarde au-dessus de moi, comme si je n'étais pas là. Et le bruit s'amplifie, à tel point que je mets mes deux mains sur mes oreilles pour essayer de ne plus l'entendre. De temps en temps j'essuie mes yeux pour voir clair.

Tout à coup, il lâche la ceinture d'une main, et le cuir vient me frapper avec une violence terrible. J'ouvre la bouche, il gronde tout de suite :

— Ne crie pas !

Je sais pas si j'allais hurler ou non, mais ça s'arrête aussitôt. Mes mains... où les mettre ? Sur ma tête elles ne protègent plus ma poitrine, et il va frapper de nouveau. Je les descends lentement, il gronde encore :

— Ne bouge pas !

J'ai bien entendu les deux menaces. Ne crie pas et ne bouge pas ! Mais c'est bizarre, on dirait qu'il n'a pas ouvert la bouche pour parler. Il l'a dit ou il l'a pas dit ? C'est moi qui ai entendu ça toute seule ?

De toute façon, sans savoir pourquoi, je sens qu'il ne faut ni bouger ni crier. Si quelqu'un arrivait maintenant et nous voyait comme ça, moi nue, devant cette machine à laver, et lui nu avec cette ceinture, il y aurait un désastre.

— Je vais te laver de ta perversion.

J'ai pas bien compris le dernier mot. A part le sens général, il croit que je suis sale ou quelque chose comme ça. S'il croit ça, c'est qu'il est fou. Peut-être que si je supporte un

44

peu, je pourrai lui faire comprendre qu'il est fou. Parce qu'il a jamais fait ça avant. Me frapper, c'est depuis aujourd'hui. Se mettre tout nu c'est maintenant. Il a une crise. Il est dingue. Il frappe régulièrement, il s'en fout que je me tortille dans tous les sens. Que j'aie mal, il frappe. Ça va jamais s'arrêter. Je vois son visage à travers les larmes, c'est pas possible, il a l'air content. Tout content. Content avec une drôle de grimace. Ça lui fait plaisir de me cogner dessus avec sa ceinture. Je le reconnais pas, là, c'est pas mon père qui frappe, c'est un inconnu.

Il s'arrête tout d'un coup. Je me dis qu'il est fatigué de cogner, que ça va finir, je vais pouvoir filer dans ma chambre, avec mes vêtements.

— Monte sur la machine à laver !

Là, je reste coincée. Le dos contre le métal froid et blanc, j'ai pas compris ce qu'il demandait. Qu'est-ce qu'il veut que je fasse sur cette machine à laver ?

— Monte là-dessus, je t'ai dit !

Il parle comme il parlerait au chien. Sec, un ordre, et c'est tout.

Alors, je me tourne vers la machine à laver, en m'aidant de mes mains, et en reniflant. Je voudrais me moucher, mais il n'y a rien à proximité. Il faut que je monte là-dessus, c'est dingue. Un coup de ceinture dans le dos m'encourage à obéir. J'y arrive pas. Parce que je me vois dans la glace de la porte. Je me vois tout entière, la machine et moi. Pourquoi je ferais ça ? Je suis pas un chien. D'habitude j'ai pas peur de désobéir. C'est moi dans cette glace, et on dirait une photo de quelqu'un d'autre. Mes cheveux en désordre, ce corps tout nu, jamais je ne l'avais vraiment vu. C'est moi. C'est flou. Ça tourne.

L'envie de vomir me reprend.

Il s'approche et me prend par la taille, il me soulève et me pose assise sur la machine à laver.

— Qu'est-ce que tu vas me faire ?

— Ne t'inquiète pas ! Ça va bien se passer. Tu vas voir tu vas aimer ça.

Aimer quoi, MERDE ? La seule chose que je pourrais aimer, c'est d'aller me coucher, et qu'il soit pas fou.

— Mais c'est quoi ? Dis-moi, c'est quoi ? Je veux m'en aller, papa. Je veux aller au lit. J'aimerai pas ce que tu dis, c'est sûr. Laisse-moi aller au lit.

Il ne répond pas. Il voit bien que j'ai peur, que j'ai mal, et il s'en fout. Il a quelque chose dans la tête, et je commence à deviner. C'est vague, mais je reprends mes esprits, parce que je comprends. Il va faire quelque chose de grave, il me fixe bizarrement, immobile. On dirait qu'il va bondir et qu'il attend le moment. Il est grand. Je l'ai jamais vu si grand, les épaules larges, il prend toute la place dans la petite pièce. Je ne pleure plus, je guette, je vois tout très clairement. Les lunettes à monture d'acier, les yeux noirs, comme les cheveux, l'expression dure, méchante. Les tatouages sur ses épaules. Une épée d'un côté, un animal de l'autre. Il s'est fait ça en prison, il y a longtemps, quand il était jeune, il en est fier. Il a eu une vie avant celle que je connais, une vie mystérieuse.

— Ne me punis pas ! J'ai rien fait. Je te demande pardon, papa. Tu veux que je demande pardon ? Dis...

Je ne me souviens plus très bien de ce que je racontais à ce moment-là. Je demandais pardon d'un truc que j'avais pas fait. Je le suppliais de ne pas me punir. De me laisser m'en aller au lit. J'ai dû le répéter dix fois, ça, que je voulais aller au lit.

J'avais la poitrine toute rouge des coups, et l'estomac tordu par une immense envie de vomir qui ne m'a pas quittée. Mais je me souviens bien de son air heureux. Ça oui. Parce que lui, il savait ce qu'il allait me faire. Il y pensait déjà. Moi, non, bien sûr. Tout ce que je comprenais c'était l'irréparable de la chose, sans pouvoir mettre dessus le mot irréparable. Quand on est enfant les sentiments se mélangent, les émotions se bousculent si vite qu'on a l'impression d'être dans un vertige.

Souvent, depuis, on m'a demandé pourquoi j'avais pas hurlé, pourquoi j'avais pas essayé de me sauver, de me défendre, de le battre. Ceux qui posent ces questions-là les posent parce qu'ils ne sont pas passés par là.

Quand j'avais un père, encore, la veille de cette nuit-là, il était sévère. Tellement sévère que même mes copines me le disaient souvent. On ne discutait pas ce qu'il disait, ce qu'il ordonnait. Ce qu'il voulait était lettre d'or, pour ma mère comme pour nous, les trois enfants. Je savais vaguement qu'il avait fait de la taule dans sa jeunesse, mais ça ne représentait qu'une force de plus pour moi. Un truc d'aventurier. Je savais aussi qu'il avait été pauvre, sans argent, et qu'il était arrivé tout seul à en gagner. C'était aussi une force. Il était fort, voilà. Il avait tous les droits sur nous. En plus je l'aimais vraiment beaucoup, je l'admirais, ce salaud. Je ne pouvais pas savoir qu'il était sadique, déglingué sur le plan sexuel. Qu'il prenait son sexe pour la puissance du monde. Moi je lisais *Mickey* en ce temps-là. Je dessinais des princesses avec des robes en or, je me demandais si je serais belle un jour, je commençais seulement à cacher ma poitrine. J'étais toute fière quand on me disait que j'étais déjà une petite femme. Je savais pas ce que ça voulait dire, être une petite femme, en miniature, une poupée, que son père installait tranquillement dans la nuit sur une machine à laver pour la violer. Même le mot viol n'avait aucun sens. Mettez-vous bien ça dans la tête. Retrouvez vos douze ans. Il n'y a que la peur. Le sale, le vicieux, on le devine. Et quand il vous submerge, on est sidéré, personne ne vous a appris à le combattre. A s'en défendre. Alors on reste là, paralysée, à subir, à supplier, à pleurer, c'est tout ce qu'on peut faire. A part appeler le bon Dieu à son secours, ou son père, qu'est-ce qu'on pourrait trouver d'autre à douze ans ? Et le bon Dieu fout le camp en même temps que le père. Il reste le silence de l'horreur qui passe sur le corps, avec des mains inconnues qui salissent.

Le pire c'est la honte. Vous connaissez la honte ? La

vraie humiliation ? Celle de participer, même malgré soi, à un truc tellement dégueulasse qu'on n'osera jamais en parler à qui que ce soit ? Parce que c'est pas l'autre qui est dégueulasse tout seul. Il vous rend dégueulasse. Voilà pourquoi on ne crie pas, on ne hurle pas, on ne prend pas un truc quelconque pour lui taper dessus. Si un inconnu avait essayé de me faire ça dans la rue ou n'importe où, j'aurais gueulé. Mais c'était mon PÈRE! Je le haïssais. Je haïssais cette machine à laver, comme une personne à part entière. Je me haïssais d'être assise dessus, à sa merci, et de ne rien pouvoir faire pour le combattre. Rien.

Je devenais folle sur cette putain de machine à laver.

Il caresse la peau de mon corps, d'une manière automatique, il regarde ma poitrine, l'air attendri. Et moi j'ai mal à la peau.

Maintenant, il caresse son sexe, tout doucement. Il sourit. Puis il va de plus en plus vite, en remuant cette chose dégoûtante que j'ai jamais vue avant. Je vois un dessin dessus. Il a un tatouage, un dessin bizarre, comme un pique, noir ou bleu.

Le silence, le bruit de cette agitation manuelle. Mes yeux fixés dessus.

— Allonge-toi!

Je m'allonge sans rien dire. Il m'écœure encore plus que quand il me battait. Je tremble, je le sens, tout mon corps tremble sur le métal. Je devrais lui dire merde. Mais j'ai honte. Honte, honte à en crever. Il se rapproche, il se penche, et il rentre cette chose sale dans mon ventre.

A cette seconde je jure que le mot amour a disparu de ma vie. Quand il a fait ça, je me suis cassée en mille morceaux. J'aurais voulu arracher toutes les parties de mon corps qu'il avait touchées. Il venait de pénétrer son enfant de douze ans et demi. Il a commis un crime, a transgressé

48

toutes les lois en même temps. Je me revois, appuyée sur les coudes, douloureuse, nauséeuse, terrifiée, avec une seule idée en tête. Je l'ai eue tellement fort cette idée, qu'elle est restée ensuite une des seules raisons qui m'ont fait vivre. « Un jour tu vas crever. Un jour tu vas crever, un jour... »

Il y avait du sang sur cette foutue machine. C'était sale aussi le sang. Sale comme lui, sale comme moi. Il est parti, il m'a laissée là, avec le sang rouge sur la machine à laver.

Jamais je ne pourrai effacer cette image-là. Parfois j'essaie de me persuader que c'était un cauchemar. Je l'ai souvent fait, quand ça tournait mal dans ma tête. Je me disais, t'as fait un cauchemar, dis-toi ça, efface-le. Pas question.

Il avait gagné. Moi j'avais perdu. Qu'avait-il gagné ? Même aujourd'hui j'en sais rien. Un mystère que j'arrive pas à résoudre. Mais il avait gagné, et je voulais qu'il en crève. Il m'avait tuée, il y avait ce sang rouge pour le dire.

Il a laissé la porte ouverte, comme s'il se fichait du reste et de moi. Ça me fait peur aussi cette porte ouverte. Je descends de la machine à laver, et je lave. Je frotte. Je lave. Ma bouche, mes mains, mon corps, mes jambes toutes dégoûtantes. Accrochée à ce lavabo, je prie le bon Dieu de faire quelque chose pour moi.

Je m'aperçois que j'ai taché le gant de toilette, je rince, je frotte encore. Je n'ose pas prendre une serviette, pour ne pas la tacher aussi. Je ramasse mes affaires. J'essuie mes jambes avec ma chemise. Je file dans ma chambre sans faire de bruit.

Il est dans la cuisine, il se fait un café.

Il n'est pas revenu cette nuit-là. Aujourd'hui, je me dis, c'est fou, il est allé dans la cuisine et il s'est fait un café comme si de rien n'était. Et moi, j'ai fait un coma debout. J'ai recommencé à prier. J'avais pourtant juré de ne plus m'adresser à ce lâcheur de bon Dieu, mais je continuais les mains jointes à lui demander de l'aide. Qui d'autre aurait pu m'aider ?

J'ai dormi presque tout de suite il me semble. Le brouillard en tout cas. Dans cette salle de bains, je voyais les détails, j'entendais les bruits avec une précision affreuse, mais après plus rien. Juste le souvenir d'avoir lavé et frotté, d'avoir ramassé mes vêtements, et filé pendant qu'il faisait son café. Il y avait des lits superposés dans la chambre. Ma sœur dormait en haut et moi en bas. Je me suis recroquevillée à la tête du lit, en priant, après, je ne sais plus. C'était le matin.

J'ai dû dormir tout en haut du lit, presque sur l'oreiller, comme si j'avais voulu rentrer dans le mur. Et ce réveil était un cauchemar de plus.

Un matin noir avec des idées noires. Plus d'enfance. Une solitude de chien abandonné au coin d'un bois. Le recul des années me permet maintenant de dire que ce jour-là, Nathalie est morte. Ce n'était pas clair dans ma tête à l'époque. Ça ne pouvait pas. Je me disais, il faut le punir, il faut qu'il crève. J'ignorais comment. Mais cette machine à laver ne sortira plus jamais de mes souvenirs. Je ne peux plus en voir une maintenant, même dans cette publicité idiote où on vous raconte que ça lave plus blanc ou que c'est garanti par je ne sais quoi ou qui. Je peux plus. A la maison, la salle de bains est devenue un lieu maudit. Dieu sait pourtant que je l'ai fréquenté ce lieu maudit. Je passais mon temps à me laver. Comme si l'eau et le savon pouvaient m'aider. C'était comme le bon Dieu : une illusion. Dorénavant, je devais vivre avec le mensonge. Il fallait que je mente à tout le monde. Que j'aie honte à l'intérieur et que je mente à l'extérieur. La guerre était déclarée, entre moi et les autres.

Je me lève, je marche lentement vers la cuisine où j'entends les bruits familiers du petit déjeuner. Il est parti travailler. Ma mère me regarde drôlement.

— Nathalie, comment as-tu pu faire une chose pareille ?
Ce garçon est bien plus vieux que toi, tu n'es qu'une
enfant... Il a quinze ans... est-ce qu'il t'a obligée ?

Je comprends très vite ce qu'il a raconté. Ils ont dû en
parler ce matin. Maman est terrifiée, elle ne comprend pas
que son bébé ait pu faire ça. Coucher.

— On n'a rien fait de mal, maman.

— Tu sais pas de quoi tu parles. Tu n'as pas encore
treize ans... un bébé... Ton père et moi nous sommes d'accord là-dessus. Tu ne dois plus le revoir. Tu es une vicieuse.
On ne fait pas ça à ton âge.

Elle croit tout ce qu'il lui dit. C'est normal. Et elle a
décidé après ça de ne plus m'adresser la parole. Je suis
toute seule dans cette cuisine devant mon bol de thé.
Maman va et vient, silencieuse. J'aimerais bien qu'elle me
pose des questions. Qu'elle essaye de comprendre. Mais
pour elle, je ne suis plus la même. J'ai fait quelque chose
de grave : j'ai couché avec un garçon. Je suis une vicieuse.
Si je dis : « C'est ton mari qui a couché avec moi »..., elle
ne me croira pas, parce que ça a l'air d'un mensonge
énorme. Ne plus voir Franck, interdiction, sous peine de
punition sévère. Ça je peux obéir facilement. Je pourrais
plus le regarder, Franck. Il a rien dû comprendre à ce qui
s'est passé. Pourquoi mon père l'a jeté dehors. Et moi
qu'est-ce que je peux lui dire ? Rien. C'est comme pour
maman. La vérité serait un mensonge énorme pour eux.
D'abord j'ai honte. Honte devant maman. Maman est la
femme de mon père. C'est avec elle qu'il fait cette chose
qu'il m'a faite. Alors j'ai plus envie de la regarder non plus.

Je vais traîner dans la cour devant le HLM. Franck
habite l'immeuble d'à côté. Qu'est-ce que je vais raconter
aux copines ? Que je m'entends plus avec lui. On a
« cassé ». Si je lui parle, et que mon père arrive, je prendrai
des coups de ceinture. Il a dit que c'était une « lavette ».
C'est pas une lavette Franck. C'est un chic type. Je l'aime
bien.

Ma sœur me regarde comme si j'étais malade.

— Tu viens pas jouer ?

— J'ai mal à la tête.

— Tu vas pas au tennis avec Franck ?

— Je te dis que j'ai mal à la tête, fous-moi la paix !

Ce soir, ça va recommencer. Elle ira se coucher, elle, tranquillement, et maman aussi, à neuf heures comme d'habitude. Et moi ?

Si je dis non, la ceinture. Si je crie, si je me sauve, il racontera que j'ai fait la vicieuse. Vicieuse. Il a dit ça à maman.

— Oh là là ! Qu'est-ce que t'es mauvaise... Papa t'a disputé à cause de Franck...

— Fous-moi la paix je te dis !

Elle a dix ans. Elle comprend rien. C'est normal, c'est un bébé. Moi aussi, je suis un bébé. C'est maman qui le dit. Pourquoi elle ne comprend pas ? Pourquoi elle le croit lui, et pas moi ?

J'ai mal au ventre. Pas à la tête. Je marche plus comme avant. Quand je marche j'y pense. Où je pourrais mettre ma tête pour qu'elle ne pense plus à mon ventre ?

C'était une journée de vacances et de soleil. Il est passé un mois entier de vacances et de soleil, et je n'ai plus rien vu, plus rien pensé, sauf ça. Les journées étaient longues et floues, impossible de me rappeler ce que j'ai fait. Ce que j'ai dit. J'ai menti tout le temps. A force de mentir on sait plus à qui on ment et pourquoi. Je croyais que la rentrée scolaire allait changer quelque chose. Que ces vacances d'enfer allaient s'achever, que l'école me préserverait. J'avais préparé les mensonges pour les copines à propos de Franck. Je savais mon texte par cœur, comme une actrice. J'avais le rôle principal dans cette histoire. C'est un sentiment dont je me souviens parfaitement. Celui d'être isolée, seule, en train de mentir. Franck était important dans ma vie. Le viol de mon père venait de l'en faire sortir, et il me semblait que l'essentiel des mensonges devait porter là-dessus. Une réaction d'enfant. Justifier ma rupture avec mon petit copain. Pour le reste, les détails des jours et des nuits, c'est encore une fois un brouillard de dégoût, et d'agressivité de ma part. J'en voulais à tout le monde.

Le mois de septembre est arrivé vite pourtant. Ne me demandez pas combien de fois j'ai dû subir ce salaud, ses envies, pendant cette période-là. On va pas faire le compte. Je vais pas vous raconter dix fois le même viol. Je peux même pas m'en souvenir moi-même. Je le haïssais tellement que j'arrivais plus à pleurer. Plus personne ni rien ne me faisait peur.

Il avait décidé de m'emmener avec lui à son travail, à l'extérieur de la ville. Une bonne solution pour lui. Ça permettait à ma mère de ne plus me voir, et à moi de ne pas être tentée de parler. Ces journées avec lui, ces longues journées, c'était un enfer. Il ne se privait pas de faire des allusions à ce qui allait se passer le soir. Officiellement j'étais censée l'aider dans sa gérance. J'accueillais les clients, j'encaissais les factures des réparations. C'était simple pour moi, souvent les clients disaient :

— Elle travaille drôlement bien pour son âge...

Je sais, j'étais douée. Je faisais plus grande que mon âge, je pigeais plus vite, je savais déjà, à douze ans et demi, calculer une facture et sortir la TVA. Tu parles d'un exploit ! Je tapais à la machine, je savais même déceler une panne simple sur un auto-radio et la réparer toute seule. Je me souviens de la tête d'un client, un jour où j'ai fait ça. Il avait pas confiance. Une gamine avec des longs cheveux noirs dans la figure, qui la regardait d'un air compétent, en lui disant : « Je répare et si ça va pas, vous appellerez mon père, d'accord ? »

J'ai réparé, et il est resté tout bête. Bonne élève, la gamine. Douée, la gamine. Plus grande que son âge, la gamine. Première en classe, la gamine. Obéissante, et tout. Un vrai petit génie. C'est pour ça que ça m'était tombé sur la gueule. Ça m'apprendrait à avoir tout bon. Maintenant j'avais tout faux.

Le soir arrivait, et le cauchemar recommençait. Je devais me soumettre aux quatre volontés de ce type infect, quand il le voulait, là où il le voulait. Et fermer ma gueule. Si je disais un mot, il n'y faisait même pas attention. Combien de fois j'ai essayé de dire non, de me défiler, de tourner la tête, d'échapper à ses mains. Combien de fois j'ai fermé les yeux pour ne pas voir son sexe. Pour tenter de m'isoler, de devenir pierre. Une pierre, oui. Sans peau, sans nerfs, sans estomac qui se retourne, sans tripes qui se révulsent, sans yeux pour voir, sans oreilles pour entendre. J'avais beau faire la pierre, ce n'était pas vraiment une réussite. Il avait des idées, des fantasmes comme on dit.

Moi je n'avais qu'une peur, celle qu'il recommence à frapper avec sa grosse ceinture de cuir. Pour lui, c'était simple, pour ne pas avoir mal il fallait d'abord aimer ça, et ensuite ne rien dire à personne. Une seule chose primait, ne montrer sous aucun prétexte qu'il se passait quelque chose de louche, ou que j'avais un problème.

Il disait :

— Je te défendrai toujours, quoi qu'il arrive, si tu respectes le contrat.

Ce n'était peut-être pas exactement ce mot, « contrat ». Mais c'est celui que j'emploie depuis, parce que je l'ai ressenti comme tel. Un contrat entre ce monstre et moi. Entre cet obsédé et moi, sa fille, son bébé. Un contrat de mensonge.

J'avais menti pendant plus d'un mois, je pouvais aussi bien continuer, puisque la rentrée n'a rien changé. C'était pas très compliqué de mentir, en fait. Je mentais en silence. Je ne disais pas ce qui se passait le soir, c'est tout. Ça me donnait l'impression de mentir tout le temps, alors qu'en fait je parlais à peine.

J'ai mal travaillé ce premier trimestre. Il avait décidé qu'une fois par semaine je ferais les factures de sa comptabilité personnelle. Ça voulait dire que j'étais enfermée avec lui, toute une soirée.

Quand ça débordait trop, je pleurais à l'école. Si on me

demandait pourquoi, je racontais un chagrin d'amour. J'ai dû passer pour une drôle de coureuse à l'époque. J'en avais des chagrins d'amour! J'inventais des garçons tout le temps.

Les cours, les devoirs, les leçons, je m'en foutais complètement. Le petit génie n'était plus la première en classe. Je ne savais même plus qui j'étais, ce que je faisais.

Une grande détresse, avec des idées folles pour m'en sortir.

Je suis sur le trottoir, je regarde le passage clouté. Si un camion arrive, je vais traverser en courant. Il vaut mieux un camion qu'une voiture. Un camion, ça écrase beaucoup. J'attends le camion. Comme ça, je serai sur un lit d'hôpital, et il me foutra la paix. Comme ça, il fera pas semblant de m'expliquer un problème de maths en me touchant les seins. Comme ça il ne lira pas les cours d'histoire pardessus ma tête, en me disant:

— J'ai envie de toi. J'ai envie de te toucher, de t'embrasser, de te caresser.

Si le camion m'écrase, on me mettra sur une civière dans une ambulance, et j'irai loin dans un hôpital. Ce sera grave. Peut-être que j'aurai la tête abîmée, ou les jambes cassées. Je me réveillerai pas, on me gardera longtemps.

J'avance sur le passage clouté, doucement, avec mon cartable à la main, ma copine traverse, et moi je m'arrête au milieu.

Le camion freine.

— T'es folle ou quoi? Tu l'as pas vu?

— Eh la gamine? On t'a pas appris à traverser au vert?

Je traverse, et Suzanne ma copine me tape dans le dos.

— Tu m'as fait peur, t'es dingue... fais gaffe.

Ça ne marche pas. C'est raté. Comment on fait pour aller à l'hôpital? Comment on fait pour mourir? Je veux mourir écrasée sous un camion.

— Qu'est-ce que t'as dit?

— J'ai envie de me faire écraser par un camion.
— Ça va pas ? Pourquoi tu dis ça ?
— Parce que c'est vrai.
— Tu blagues ou quoi ?
— Non.

Suzanne ne me croit pas. J'attends qu'elle me demande pourquoi je veux mourir. Je sais déjà ce que je répondrai : que Pierrot m'a draguée, et qu'il m'a laissé tomber. Elle le demande pas. Elle fait un geste pour dire que je suis dingue, et va raconter ça à une autre copine. Elvire me regarde avec admiration.

— T'as pas peur ?
— Le camion s'arrête toujours...
— Tu l'as fait souvent ?
— Des fois...
— Et s'il s'arrête pas ?
— Eh bien il m'écrabouille.

Elles devaient croire, les copines, que j'étais un peu frappée. J'avais vraiment envie de mourir pourtant. Au bord du trottoir, ça me prenait comme un vertige, une attirance terrible. J'ignore si je formulais alors la vraie question : « Me suicider. » Il n'a jamais été précisément dans ma tête ce mot de suicide, et pourtant c'était bien ça. Je ne me voyais pas sauter d'une fenêtre, ça c'est venu plus tard. A douze ans et demi je voulais me jeter sous un camion, me faire écraser pour qu'on m'emmène à l'hôpital. Là, j'aurais échappé à mon père. La mort ça ne voulait rien dire. Je rêvais d'un lit avec des infirmières et des docteurs. Un lit ailleurs qu'à la maison. Un lit sans lui, où je pourrais souffrir d'autre chose que de lui. Je voulais être libre. Je voulais vivre. VIVRE LIBRE. J'avais rien trouvé d'autre que de passer sous un camion à l'époque. Et même si le camion devait m'écrabouiller, c'était la liberté, pas la mort, que je cherchais. Pourtant la mort, j'y pensais. Je disais, des fois, en silence, pendant qu'il faisait ce qu'il voulait : « Je voudrais mourir. » Mais je me disais plus souvent : « Je veux qu'il crève. » Simplement c'était plus facile d'essayer, moi, de passer sous un camion. Ça crève comment un père ? J'en savais rien. Il me paraissait intouchable, inaccessible. Au-dessus de tout.

Je compte les frites dans mon assiette, je les avale une par une, en comptant douze, treize, quatorze.

— L'idéal ce serait une gérance d'épicerie, une petite superette. Tu tiendrais le magasin dans la journée et je t'aiderais le soir à faire tes comptes.

Maman veut travailler. Nous sommes à l'école, et elle en a marre de ne rien faire toute la journée. Mon père est d'accord. Ils en parlent tous les soirs. Moi je m'en fous royalement.

J'ai mangé vingt-six frites. Si mon père s'occupe de tout ça, il me foutra la paix. Il faut qu'il soit très occupé pour me foutre la paix.

— Je peux avoir des frites ?

— Laisses-en à ta sœur, Nathalie...

Maman me parle un peu plus. Pas trop quand même.

Cette histoire de travail les occupe beaucoup et moi un peu moins.

C'est vendredi.

Il est venu me chercher, lundi, et puis encore mercredi. Ce soir, il va m'emmener dans la salle de bains. Mais je vais lui dire que j'en ai marre.

— Nathalie, débarrasse. N'oublie pas de ranger ta chambre avant de dormir.

— C'est pas moi, c'est Sophie, elle range rien.

— Ne réponds pas à ta mère ! Ta sœur est plus jeune, c'est à toi de ranger !

J'en ai marre de lui, j'en ai marre qu'il me touche tout le temps, et qu'il fasse le maître en plus, devant les autres. Je vais l'envoyer sur les roses ce soir. Ça c'est sûr !

— Maman j'ai mal au ventre, je peux aller me coucher maintenant ?

— Qu'est-ce que tu as encore ? Tu as toujours mal quelque part. Vas-y, mais range tes affaires. Tu es assez grande pour que je ne sois pas obligée de passer tout le temps derrière toi... Tu changes ma fille, avant tu ne faisais pas de désordre.

Avant. Tu sais même pas avant quoi...

— Eh ben... ne me regarde pas comme si je t'avais battue... Allez, va te coucher. J'y vais aussi.

Cette fois ça y est, tout le monde dort, il va venir, et je vais lui dire. Plus de salle de bains. Je veux rester dans mon lit, dans ma chambre avec ma sœur, comme les autres petites filles.

Je me suis endormie. Quelle idiote. Il me réveille encore, j'aurais pas dû m'endormir, comme ça j'aurais pu résister dans la chambre.

La lumière du néon dans la salle de bains. Son peignoir marron. J'y vais, je le dis :

— Maintenant je te préviens, tu vas arrêter ! J'en ai ras le bol ! Je veux plus ! J'en ai assez ! Je supporte plus que tu me touches ! Laisse-moi tranquille.

60

Je ne voulais pas pleurer. Je voulais être en colère. Mais il est surpris quand même.

— Ah oui ? Alors je vais te dire une petite chose... ici c'est moi qui commande, et toi tu la fermes, compris ? T'aimais bien avant, quand je te caressais dans ton lit, tu te plaignais pas. Alors tu t'écrases, et t'as intérêt à faire ce que je dis !

J'ai gagné. Il prend la ceinture, il frappe.

— Je vais te faire passer l'envie de dire non, moi... tu vas voir.

J'ai gagné, il est fou, il frappe comme un dingue, partout sur la poitrine, sur les jambes.

— Tu veux pleurer ? Vas-y. Tu sauras au moins pourquoi tu pleures.

J'ai jamais recommencé. C'est la seule fois où je lui ai parlé sur ce ton, où j'ai dit « J'en ai ras le bol ». J'ai tellement pris de coups. Ça l'a même pas empêché de faire ce qu'il voulait après, dans cette fichue salle de bains. Trois fois par semaine, j'avais droit au réveil la nuit et à la salle de bains. Et il m'a fait mal encore cette nuit-là, non seulement en cognant avec sa ceinture, mais surtout en voulant me faire croire que j'aimais ça, puisque j'avais rien dit, soi-disant. Ça, voyez-vous, c'est la pire des saloperies. On vous viole, et on voudrait vous faire avaler que parce qu'on n'a rien dit, par trouille, c'est qu'on aimait ça. C'est devenu un classique pour lui. Si je disais non, même doucement, ou en pleurant, ou en essayant de lui échapper, il répétait tout le temps : « T'aimais ça petite vicieuse... »

Le résultat, c'est qu'on ne sait plus si y a pas du vrai là-dedans. Sur le moment parce que tout est mélangé, la culpabilité, la peur, la honte. Maintenant, je sais bien que non. Je sais aussi que je l'ai toujours su que j'aimais pas ça. Mais il le disait, et je me trouvais piégée devant lui. Entre les coups, et les saletés qu'il disait, aucun moyen de se sentir propre. Aucun. Sale, toujours, sale, sale, sale.

J'ai eu treize ans. Un anniversaire sale. Ils ont trouvé un magasin d'alimentation, dans un village à cinquante kilomètres de la ville. Maman était emballée. Elle croyait qu'il allait l'aider. Mon œil. Moi je voyais bien qu'il était d'accord pour qu'elle travaille, pour l'éloigner encore plus de moi. On allait déménager, ça aussi c'était pratique. Il allait se charger du déménagement, et j'allais l'aider.

C'est le premier souvenir marquant au bout d'un an de viol, à part cette nuit où j'ai essayé de l'envoyer promener. J'ai pas vu passer l'année scolaire, j'ai pas de souvenirs, à part les camions qui me faisaient rêver à la mort et à l'hôpital. Je sais pas non plus comment je m'habillais, ce que je faisais dans la journée, en classe ou à la maison. Un an.

On déménage. Maman est déjà là-bas, à arranger le nouvel appartement, et moi je suis seule avec lui pour déménager les meubles et les cartons de l'ancien. Nous sommes dans la Mercedes. Les Mercedes, c'est comme les machines à laver pour moi. Je ne peux plus les supporter. Sa saleté de Mercedes, c'était un endroit privilégié, il pouvait m'emmener, et faire ce qu'il voulait. Je l'entendais aussi rentrer le soir. Le bruit du moteur, c'était le signal de son retour. Chaque fois qu'on montait dedans, je me demandais ce qui allait se passer. Ce jour du déménagement, je m'en souviens avec la précision d'un film. Image par image.

Vous voulez des images d'inceste au quotidien. En voilà ! Regardez-les bien en face, comme moi. Peut-être qu'un jour, si vous voyez une petite fille se planter au milieu de la rue, devant un camion, vous vous arrêterez pour lui demander pourquoi. Pas seulement pour la traiter de dingue, ou l'engueuler, ou lui dire de faire attention la prochaine fois. Tant de fois j'ai espéré que quelqu'un me pose la seule question, l'unique : « Dis-moi qui te fait du mal ? »

Personne ne l'a jamais posée cette question. Ah oui ! j'oubliais. On peut pas deviner, c'est ça ? A quoi vous servez alors, les adultes ? Vous n'entendez pas les cris dans le silence ? Vous ne devinez pas le vrai derrière les mensonges ?

J'avais treize ans, lorsqu'il a décidé de passer au stade supérieur. Me violer, ce n'était pas suffisant. Il voulait « me faire l'amour ». J'avais treize ans quand il a décidé de faire de moi « sa garce ». La différence est subtile. Comme tous les tortionnaires, il passait avec délices de la force brutale pure au raffinement. J'avais grandi, malgré moi. Tous les enfants grandissent vite dans l'horreur. Qu'il s'agisse de guerre, de famine publique, ou de violence privée. Ceci est un épisode de ma guerre à moi. Une bataille que j'ai encore perdue. Qui n'a fait qu'amplifier ma haine.

Il monte les quatre étages de l'immeuble en courant, comme si une surprise nous attendait. Et moi je monte doucement. Je sais que la surprise c'est moi. J'ai pas envie d'arriver trop tôt. J'ai pas envie d'arriver tout court.

L'appartement est vide, tout est déjà emballé. Il ne reste par terre qu'un matelas. Je fais comme si je ne le voyais pas, je passe dans les autres pièces. J'examine les cartons à transporter. Rejoindre ma mère au plus vite, c'est ce qui compte.

Mon ancienne chambre, celle où je suis morte enfant. Le papier à fleurs, la trace du lit superposé, contre le mur. On dirait un fantôme.

J'entends le bruit du verrou qu'il ferme, à double tour. Il m'appelle, d'une voix douce, écœurante.

— Nathalie ?

Il est dans l'autre pièce, celle du matelas. Il a fait exprès de le laisser là. Un piège.

La voix doucereuse insiste.

— Nathalie ? Viens...

Je fais un pas, je recule, j'en fais un autre, je recule encore. La voix devient menaçante, c'est un ordre.

— Nathalie !

Si je n'y vais pas je vais prendre une volée. Il a sa ceinture. Sa belle ceinture de la fête des Pères. Noire, avec la boucle dorée. J'obéis lâchement. J'avance dans la pièce sombre. Il est déjà nu. Il me regarde comme un homme qui n'a jamais vu une femme de sa vie.

— Déshabille-toi.

Ordre toujours. J'ai le droit de conserver mes sous-vêtements. Le droit ou le devoir, je ne sais pas. Il l'a dit c'est tout. Et la ceinture est posée à plat sur le matelas.

Il a l'air excité. Il me prend par la main, m'amène devant le matelas, et s'agenouille en me regardant toujours comme un chien affamé. Si seulement je pouvais fermer les yeux, ne pas voir ce visage, pendant qu'il caresse mon corps.

— Ne fais pas ça, papa... je t'en prie.

Mais il n'entend pas, il n'entend plus. Il a quelque chose de changé par rapport aux autres fois. Comme d'habitude il n'écoute pas mes refus, il ne voit pas que je pleure, mais c'est pire encore, parce que je n'existe pas. Il n'y a que mon corps qui l'intéresse. Moi je ne suis pas présente.

Juste un corps qu'il jette sur le matelas, il déchire les sous-vêtements, avec un drôle de sourire. Un sourire dégoûtant. Je le hais, tant! C'est si intense que je m'arrête de pleurer. J'en ai mal aux mâchoires, tellement je serre les dents. Mal aux muscles, tellement je me contracte. Ça va bien pour lui. Ça se passe bien. Il prend son pied, comme il dit. Il bouge comme un pantin ridicule, il s'arrête et me regarde.

— Ça te plaît? Tu aimes ça, ma garce?

Il bouge. Il appelle ça faire l'amour!

— Montre-moi que tu aimes ça, faire l'amour.

Comme d'habitude, j'ai la nausée. Je voudrais le vomir en entier. C'est affreux ce pantin qui bouge et qui se vide sur moi, cette expression qu'il a. Heureux de me faire mal et de me salir.

La pourriture.

Je me rhabille en silence.

— C'est pas tout ça, il faut descendre les cartons dans les voitures.

Je porte les cartons, descends les escaliers, les remonte. Il fait pareil. On a l'air normaux : comme un papa et sa petite fille qui déménagent. Dans la cour devant l'immeuble, les passants nous regardent. Quelqu'un lui dit bonjour :

— Alors on déménage ?

C'est ça, on déménage. On déménage même le matelas. On le porte tous les deux. Je l'aide à le rouler et à le coincer sur le siège arrière. Je vois sa main, près de la mienne, il me vient une image, un flash. Une longue aiguille qui descend et vient transpercer cette main, s'enfoncer dans la chair.

— Monte !

Je monte sur le siège avant, je regarde mon visage dans la glace du rétroviseur, un peu poussiéreuse. J'ai une tête de déterrée. Toute blanche. J'ai mal aux muscles du cou. Une boule dans la gorge.

— Ne fais pas cette tête-là. Je te préviens... Si tu dis un mot...

Je prendrai une raclée si je fais cette tête-là.

— On est en retard. On dira à ta mère qu'il y avait du monde sur la route. Tu entends ce que je te dis ?

Ce que j'entends surtout, en regardant par la vitre, c'est la voix de tout à l'heure. Les mots nouveaux. J'ai froid. Je sens mauvais. Je porte son odeur puante. Avant, je suppliais le bon Dieu de m'aider. Maintenant je supplie les camions. « Gros camion, fonce sur nous, écrase-le, écrase-le ! »

— Vous en avez mis du temps !

Maman est tout heureuse, notre retard, elle n'y songe même pas. Elle range et déballe les cartons avec enthousiasme.

— Vous savez ? Je crois qu'on sera bien ici. Le village est sympathique.

Je râle :

— C'est un deux-pièces pourri.

— Ça ne va pas durer, ma chérie... Dès que les anciens

propriétaires auront libéré l'appartement au-dessus du magasin, on s'installe.

— J'en ai marre de déménager. Ce patelin est minable. On connaît personne.

— Nathalie... tu es agressive depuis quelque temps... Bon d'accord, on est un peu à l'étroit, mais ça ne durera pas. Deux mois...

Je regarde les lits entassés, les meubles empilés. C'est moche. Mais c'est formidable. Pas de place. Il ne pourra me coincer nulle part. Pas question de s'isoler une seconde dans ce taudis provisoire. Je fais le tour du propriétaire. Un w.-c. au milieu, comme un monument, et tout le reste entassé autour. Pas de verrou, pas de porte, pas de salle de bains qui ferme à clé.

— Évidemment, ton père aura du trajet à faire tous les jours pour aller travailler.

Cinquante kilomètres c'est rien. Je le voudrais à des millions de kilomètres. Ils ont tous trouvé quelque chose pour s'occuper. Ma mère ne parle que de sa boutique, je la comprends. Elle veut bosser. Elle veut le bonheur de ses gosses. Le bonheur. Et moi ?

Je suis seule, assise sur un carton, avec ma pile de livres d'école. Je me fous de tout. Je me fous de moi, je me déteste. Je ne trouve pas le moyen de sortir de cette merde. Deux mois à cinq dans un taudis, c'est tout ce que m'offre l'avenir. Mais je peux quand même remercier le Seigneur.

— Mais qu'est-ce qu'elle a cette enfant ? Elle devient folle !

Je danse, je lève les bras au ciel, je tourne comme une toupie. Je remercie le bon Dieu de m'offrir ces deux mois de taudis en sécurité. Il a pris pitié de moi. Je viens de comprendre que c'est génial. La vie est belle. Tout baigne...

— J'ai une fille complètement folle...

Dieu, je te demande pardon de t'avoir insulté. Merci. T'es sympa ! Fais que ça dure. Fais que ça dure. Je me fous de ce qui arrivera plus tard, demain ou après-demain. Rien à foutre. C'est le plus beau jour de ma vie ! Mon père sera coincé en ville par son travail. Ma vieille t'es libre. Faire l'amour... je t'en ficherais moi... va te faire voir ailleurs... avec ton amour de MERDE.

Matin tranquille. Je découvre le collège. Le surveillant général est un con, ils sont tous cons.

— Vous êtes en troisième, mais votre niveau général n'est pas très bon.

— C'est parce que je suis de la fin de l'année, alors j'ai un an d'avance sur les autres.

— Qu'est-ce qui s'est passé ? Jusqu'en quatrième je vois des notes excellentes... En revanche en ce moment... il va falloir faire un effort, mon petit. Qu'est-ce que vous voulez faire plus tard ?

— Avocate...

— Eh bien, c'est pas en continuant comme ça que vous y arriverez ! Je vous conseille de faire mieux.

Il est con. Je serai avocate un jour, ça c'est sûr. Mais qu'on me foute la paix. Pour l'instant j'ai autre chose à faire que des devoirs idiots.

Même les camarades de classe sont cons.

— Avocate ? Tu te fais du cinéma...

— Je me fais du cinéma depuis que j'ai dix ans, figure-toi... Je sais que c'est pas facile. L'autre jour, j'ai lu, dans *Le Dauphiné,* l'histoire d'une femme avocate, son client l'a descendue. Il disait qu'elle l'avait mal défendu. Moi j'ai pas l'intention de me faire descendre.

— En attendant si t'as pas de meilleures notes... tu peux toujours t'accrocher...

De quoi elle se mêle, cette conne ! Elle a quinze ans, elle est plus vieille, et j'en sais bien plus qu'elle. Ton père t'a pas violée, toi... Je voudrais bien savoir s'il y a d'autres filles comme moi. Mais ça se voit pas comme le nez au milieu de la figure. J'ai beau me dire que ça se voit pas, j'ai l'impression que sur moi ça se voit. C'est pas possible que les gens le voient pas ! Des fois, je leur taperais dessus parce qu'ils voient pas, et des fois je suis bien contente. S'ils savaient, je mourrais de honte.

— Nathalie viens me voir un peu, qu'est-ce qui ne va pas ?

Maman me parle de la crise des ados. Parce que je fous rien en classe. Tout le monde essaie de me convaincre de bosser. J'y arrive pas. Je peux pas me concentrer.

— Tu n'es pas bien dans ce collège ?

— Ils sont cons.

— Qu'est-ce que c'est que ce langage ? Si ton père t'entendait...

Elle flanque tout par terre. Pourquoi elle essaie pas de comprendre ?

— Tu es désagréable avec tout le monde, tu parles mal, tu ne fais rien en classe.

— Je t'aide au magasin, non ?

— Ça ne suffit pas, et tu le sais bien. D'ailleurs, c'est ton père qui devrait m'aider. Il l'avait promis.

Encore lui ! Toujours lui ! Pauvre maman ! T'es mariée à un salaud. Il en a rien à foutre de ton magasin. Il t'a raconté des blagues. Tout ce qu'il veut c'est que tu bosses comme une malade. Bosser, bosser, toujours bosser, gagner du fric. Et lui, mener sa petite vie tranquille de salaud organisé.

— Pourquoi t'as voulu divorcer avant ?

— C'est de l'histoire ancienne. Qui t'a raconté ça ?

— Mamie. Elle a dit aussi, que t'étais revenue à cause de moi...

— Parlons-en de toi, justement. Je veux que tu me promettes de faire un effort en classe. Je sais que tout est bouleversé, que je m'occupe moins de vous, à cause du déménagement et du magasin. Mais tu es grande et ta sœur aussi...

— Elle a pas de problèmes ma sœur.

— Bon, alors parlons de tes problèmes...

— J'ai pas de problèmes, maman... je suis plus en avance que les autres, c'est tout...

— Si quelque chose n'allait pas, si tu avais des ennuis, tu me le dirais...

— Qu'est-ce que tu veux que j'aie comme ennuis... ça baigne.

— Tu as changé. Tu grandis, je suis ta mère... je peux t'aider.

— Mais y'a rien... merde !

— Nathalie !

J'ai envie de changer de nom. Je ne voudrais plus qu'on m'appelle Nathalie. La Nathalie à son papa...

N'empêche qu'il me fout la paix, le papa.

— Excuse-moi, maman...

— Je travaille trop, je ne m'occupe pas assez de vous. C'est ça, mon poussin ? Hein ? C'est ça ?

Tant mieux si elle s'est trouvé une raison. Si ça lui suffit comme ça ! Si c'est son idée, qu'elle la garde ! Pour l'instant, au moins, j'ai pas de soucis à me faire, sur les mensonges à lui raconter. Personne ne pense à moi, c'est à moi de penser à moi. J'ai gagné une belle journée. Le collège, les soucis de ma mère, ce patelin pourri, après tout je m'en fous, si je suis à l'abri du fou.

Il rentre plus tôt que d'habitude. Ça m'inquiète. Il regarde ma mère droit dans les yeux, il va dire un mensonge.

— Bon, mettons les choses au point, j'ai un travail fou, je m'en sors pas. J'ai besoin de Nathalie pour m'aider à faire les comptes. Je dois les donner demain à l'expert comptable...

— Tu ne vas pas redescendre en ville ce soir ? Elle a classe demain... Ça ne peut pas attendre ?

— Puisque je te dis que je dois rendre les comptes demain. Tu veux que je paye une employée ? Que je mange mon bénéfice ? Tu veux le faire toi-même ?

Le salaud, le salaud, le salaud ! Il sait bien qu'elle est crevée, qu'elle en peut plus de fatigue. Il sait bien que cette histoire d'employée, la vieille rengaine, ça marche toujours. Je sais comptabiliser, je sais taper à la machine, je suis l'aînée, je suis en avance pour mon âge, alors je dois l'aider, c'est logique. Elle va céder.

— Bon, si tu penses que c'est indispensable. Mais tâche de ne pas la faire veiller trop tard...

— Deux heures à tout casser. Elle peut bien faire ça, au lieu d'écouter de la musique. Au moins ça sert à quelque chose.

Pauvre imbécile. J'ai remercié le bon Dieu, et il me laisse tomber une fois de plus. En fait il ne m'a jamais aidée. Il en a rien à foutre lui non plus. Mon père est trop malin. Il a inventé toutes ces conneries pour me piéger. Qu'est-ce que je peux répondre ? Mal au ventre, mal à la tête, mes devoirs à faire, quoi ? J'ai déjà tout essayé avant, et ça ne marche pas. Parce qu'il y a la punition au bout. Un prétexte, une punition. Il a ses lois, le salaud. Ne rien dire à personne. Ou punition. Ne pas chercher de prétexte pour l'éviter. Ou punition. Ne jamais dire non. Ou punition. Punition égale ceinture. Même si je tombais vraiment malade, il viendrait m'emmerder dans mon lit, ce pourri. Et si je tente de lui échapper, maman va se poser des questions. Ça va recommencer, les « qu'est-ce qu'il y a ? Je croyais que tu aimais travailler pour ton père ? C'est toi qui l'as voulu ? »

Je l'ai voulu, avant, c'est vrai. Au temps où j'aimais mon père. Fière d'être la secrétaire de papa.

— Dépêche-toi, on a de la route à faire...

— Pourquoi tes factures tu les as pas ramenées ici ?

— Tu veux que je trimbale tout le bureau aussi ? On le mettrait où ? Dans un placard ?

Il a réponse à tout. Une logique pour tout. Un mensonge pour tout.

Je remonte dans cette saloperie de Mercedes blanche. Il met une cassette qui me casse les oreilles. Je la ferme. Je n'ose plus demander ce qu'on va faire. J'en ai déjà trop dit tout à l'heure. Tant pis, puisque tout le monde m'abandonne. Je subirai. Je m'en fous. N'importe quoi, mais pas la ceinture. J'ai déjà du mal à cacher les marques sur ma poitrine. Je me planque sous la douche, je n'enlève jamais mon soutien-gorge. Si je pouvais ne plus rien enlever du tout. La voiture, la nuit, le silence. Je sais pas ce qu'il pense. Il aime bien ça. Faire le mystérieux, jouer les durs surtout avec les plus faibles. Je l'ai jamais vu faire ça en face d'un plus fort que lui. J'en vois jamais des plus forts que lui. Nazi ! Y a un truc que tu peux pas faire, c'est de changer les idées dans ma tête. Dans ma tête, je peux dire, pourri, salaud, dégueulasse, nazi. Crève !

Je me revois dans cette voiture, et puis lui, son profil, je sais pas comment dire, de chat... non, c'est sympa un chat. C'est difficile de le décrire pour vous. Pourtant il faut que vous imaginiez sa tête. Ses deux têtes. La tête d'avant, c'était papa, il était beau. Je sais dessiner, et pourtant qu'on ne me demande pas de dessiner la tête de mon père, je boufferais plutôt le crayon. De toute façon sa tête d'avant n'existe plus. Depuis un an qu'il m'a fait ça sur cette machine à laver, il est laid. Des traits trop fins, découpés au ciseau. La bouche mince, avec un sourire étroit. Dans la vie pour les autres, un sourire calme. Pour moi, une grimace de sadique. Je le voyais grand et fort. Il est petit et mince, musculeux, nerveux. Capable d'une violence insoupçonnable. Je le trouvais autoritaire et sûr de lui. Ça me plaisait. Il est brutal et prétentieux.

Il conduisait sa Mercedes blanche, comme s'il était le chef. De quoi, je me le demande encore. On a fait les cinquante kilomètres, dans ce silence, et pourtant la musique hurlait. Je me doutais bien que le travail était un prétexte. J'essayais quand même de ne pas me l'avouer. Je jouais à comme si c'était normal. On allait faire les factures et rentrer à la maison.

J'ai joué à faire les factures. Il me restait plus qu'à ventiler les comptes de TVA. Douée la gamine ! A treize ans, je tapais sur la machine à calculer comme une vraie pro ! C'est vrai que j'étais en avance sur bien des choses. Que j'apprenais facilement. Que j'étais plus grande que les filles de mon âge. C'était bien ma veine. Si j'avais mesuré un mètre trente, si j'avais été maigre comme un chat pelé, peut-être qu'il ne m'aurait pas violée.

J'avais fini les comptes. Que faire ? J'essayais de traîner en tirant des traits, en recomptant les colonnes. Mais il n'était pas con, il avait bien vu que j'avais fini. Alors il a commencé à ranger son bureau, et l'établi de travail. Il a refermé sa mallette diplomatique. Genre P.-D. G. Il fermait toujours sa grande gueule. C'était toujours le silence. Le plus difficile à supporter. Ça me flanquait l'angoisse. Qu'est-ce que je faisais ? Je ne sais plus. Peut-être que je me rongeais les ongles. Il a parlé :

— On va passer dans la pièce à côté, on sera tranquille.

La pièce d'à côté c'était un garage qu'il utilisait comme entrepôt. On était vraiment seuls. Ça, je pouvais gueuler tant que je voulais, personne ne m'entendrait. Il était heureux, dans son élément. Il me séquestrait. Il allait pouvoir faire de moi exactement ce qu'il voulait.

Vous croyez que je vais passer mon temps à vous raconter comment ce salaud m'a violée ? Non. Ça, c'est fait. Violée sur la machine à laver. A me faire l'amour comme les grands ? C'est fait aussi. Il avait trouvé cette expression débile : « Faire l'amour comme les grands. » A l'époque c'était aussi dégueulasse que le reste, et je voyais pas de différence. Pour lui, il y en avait une, apparemment. Le fait de s'allonger sur un matelas par terre, probablement.

Je ne pouvais imaginer tout le sadisme qu'il trimbalait dans sa tête. Toujours un degré au-dessus, toujours plus. Ça non plus vous n'y échapperez pas. Quand on a décidé de tout dire, comme moi, c'est que l'on s'est dit que c'était important. J'espère qu'avec ce bouquin, quelques salauds de pères se sentiront traqués, décortiqués, à poil dans leur merde. Comme des malades qu'ils sont.

Mais j'espère aussi que quelques filles tomberont dessus. Qu'elles liront et comprendront qu'il faut se tailler tout de

72

suite, le plus vite possible, ne pas croire à la honte. Parce que c'est le moyen qu'ils ont ces pères-là, je raye père, je dis ces types-là, c'est le moyen qu'ils ont pour engluer leurs victimes. Pour les ficeler lentement et sûrement dans le dégoût d'elles-mêmes. C'est ça qui empêche de gueuler, et de courir se réfugier n'importe où, chez les flics, chez les voisins, ou de hurler à la mort. Moi je me reproche de ne pas l'avoir tué. Je sais. Faut pas dire ça. Mais bon Dieu, qu'est-ce qu'on peut dire d'autre ?

Les bras raidis, les poings fermés, je contenais ma colère, ma souffrance et ma haine. Ça ne l'a pas empêché de me déshabiller. De se déshabiller. Il faisait ça lentement. Il croyait que c'était bien de me faire languir le con. Comme si j'attendais ça avec impatience... tu parles. Il m'a couchée par terre, et a commencé à faire ses caresses. C'est là que j'ai compris ce qu'il voulait. Il voulait que je fasse semblant d'aimer ça. Il demandait : « Tu aimes ; hein ? Dis-le... » C'était clair. Si je n'obéissais pas, j'allais prendre une peignée à coups de ceinture. Il fallait que je dise : « Je suis heureuse. »

Autre chose encore. Bouger sur moi, qui me tenais raide comme un bloc de glace, ça l'énervait. Il voulait aussi que je bouge. Que je prenne mon pied, pendant qu'il y était...

Voilà. C'était ça le degré au-dessus. Une nouvelle loi qui s'ajoutait aux autres. Interdiction de ne pas dire : « Je suis heureuse » quand il le demandait.

Bouger, j'ai pas pu. Ça non ! Jamais ! Heureusement, il a pris son pied, comme il disait. Il a poussé ce soupir idiot, et c'était la fin du cauchemar pour cette fois. Il a encore demandé si j'avais aimé ça. J'ai pas répondu, il a pas insisté.

— On rentre.

J'étais complètement vidée, avec l'impression de ne plus exister. Et, malgré ça, je me sentais vraiment mal. Je me forçais à ne pas pleurer en me rhabillant. Je m'étais juré

73

une fois pour toutes de ne plus pleurer devant lui. Pas par orgueil, ni fierté. Non, j'avais tout simplement peur, j'étais terrorisée à l'idée qu'il me frappe. Ne pas pleurer c'était aussi une loi. Si tu pleures, la tannée. Ça me paralysait. Si bien que je retenais mes sanglots à en étouffer, à en crever sur place. Le cœur soulevé, les yeux en pluie, les mains tremblantes, je devais garder mon calme.

Je sors de la Mercedes, en criant :

— J'ai envie de faire pipi...

Je fonce dans les toilettes. Je me lave, je frotte, je frotte, je frotte les odeurs, je frotte jusqu'à ce que je ne sente plus ses mains me toucher, sa bouche m'embrasser, son sexe me pénétrer. Je frotte comme une furie. Vite. Je n'ai que le temps annoncé, pour faire pipi. Ce n'est pas l'éternité.

— Tu es déjà en chemise de nuit ? Ma pauvre puce... tu t'en es tirée... avec cette comptabilité ?

— Oui maman, pas de problèmes.

— Qu'est-ce que tu as fait ?

— Ben les factures, la TVA... Bonsoir, maman...

— Ne m'embrasse pas surtout !

— J'ai sommeil, maman.

J'embrasse ma mère. Je suis une bonne petite fille, qui raconte le travail qu'elle a fait pour son papa. Pas une soirée pornographique.

Et je me retrouve devant un matelas posé par terre dans ce taudis où on va vivre deux mois. Un matelas comme celui où il m'a « fait l'amour ». Je suis dégueulasse. Je déteste, je hais, je vomis les matelas. Je te vomis, toi, Nathalie, la petite garce, qui as laissé ce connard te faire ça. Je te voue à la mort.

Je me suis endormie brutalement, épuisée, lessivée, démolie physiquement et mentalement. Endormie avec la MORT dans la tête. S'il était coupable, je l'étais aussi. S'il était lâche je l'étais aussi. Je n'avais plus le droit de vivre comme les autres, de m'appeler Nathalie, celle que tout le monde a connue. Celle-là était morte sur une machine à laver. J'étais une dégueulasse sans nom. Je subissais tout.

C'était foutu, la belle journée. Foutue la danse du scalp pour remercier le bon Dieu je-m'enfoutiste. Il trouverait toujours quelque chose, et rien ne changerait jamais. RIEN. LA MORT.

Au fond, je pensais à la mort sans vraiment savoir ce que c'était, à part une délivrance. Et je vivais cette vie dans une prison sans barreaux, aux murs invisibles, aux portes verrouillées, avec un gardien, un tortionnaire.

Lorsqu'il était à la maison dans la journée, je rusais en permanence pour ne pas me trouver dans la même pièce que lui. Une obsession. Il entrait par une porte, je rasais les murs pour ressortir par une autre. Dans le petit taudis provisoire, c'était difficile, j'étais vite coincée. Ma mère était au magasin toute la journée, même le samedi. Le soir, elle rentrait crevée, et ne protestait pas lorsqu'il claquait des doigts pour m'emmener à son bureau faire les factures. Et puis on a remballé et redéballé les cartons. Le grand appartement au-dessus du magasin était enfin libéré. Tout le monde était content, moi je m'en foutais. Je me suis réfugiée, un peu dans le je-m'en-foutisme. Puis j'ai trouvé une copine au collège. Flo. Extérieurement j'avais l'air normal. Intérieurement je n'étais que haine. La haine de la nuit, du père, de tout le monde, et même de moi.

Il me réveille la nuit. Ce sursaut, la vision de ce père dans sa robe de chambre marron. Même en dormant je serre les poings, je résiste. A rien, en fait.

— Viens au salon !

Il n'a même pas peur de réveiller les autres. Les chambres sont éloignées du salon. Maman dort, souvent avec un somnifère. Pas lui. Mais comme je suis de plus en plus réticente, il a trouvé une nouvelle idée : la cassette porno.

Je laisse mon ours en peluche, tout seul sur l'oreiller et je vais au spectacle. Ça ne me fait rien du tout. La première fois, j'ai eu peur. Je regardais sans voir, en m'efforçant de penser à autre chose. Je me récitais une chanson dans la tête. Il pouvait toujours me dire que ça l'excitait, j'en avais rien à foutre. Et puis j'en ai vraiment plus rien à foutre maintenant.

— Ça te fait quelque chose ? Hein ?

— Bof !

Rien ne change. Ça le fiche en rogne.

— C'est pas normal.

— Qu'est-ce qui est pas normal ?

— Toi. Je sais que tu n'es pas frigide.

Voilà autre chose. Comment il sait ça lui ? Il croit aux conneries qu'il m'oblige à dire. Genre, « je suis heureuse ». Ou « c'est bon ».

Il peut toujours me salir en déversant sa saloperie sur mon ventre. Je ne pense qu'à une chose, aller me laver et dormir, retrouver le nounours sur l'oreiller. Je me recouche la tête dans les épaules, tout habillée, j'écoute le souffle de ma sœur au-dessus de ma tête, et je finis par me rendormir les poings serrés. Voilà. Demain il y a école. Je traverse l'école sans la voir.

Toutes les nuits se ressemblent. J'ai un éternel besoin de pleurer, de me vider. Envie de mordre aussi. C'est mon oreiller qui prend. Les pleurs, et les morsures. Après, c'est le sommeil, et les cauchemars.

Je me lève dans la nuit noire, je vais dans la cuisine à tâtons, je prends le grand couteau et je vais le tuer. Je sais que si je prends le couteau, la lame vers le bas, il m'empêchera de frapper. Il faudrait que je le prenne dans l'autre sens, la lame en haut. Mais je ne peux pas. Et je n'arrive jamais jusqu'à lui avec ce couteau. Je lutte pour avancer, sans résultat, et je me réveille en sueur, avec le couteau dans la tête.

— Nathalie, tu vas encore être en retard... Tu traînes... et ton déjeuner ? Mange quelque chose !

Le couteau est sur la table, à côté du pain, je fous le

76

camp de peur qu'il se balade tout seul pour venir dans mes mains.

Je ne sais pas quand exactement ce cauchemar du couteau m'est venu. Aussi bien dans mon sommeil que dans la journée. Si ça intéresse un psychiatre il a qu'à chercher tout seul.

Je sais qu'à cette époque, la deuxième année de mon calvaire, j'avais une peur bleue quand il criait après moi parce que je résistais. Je me pissais dessus de trouille. Et aussi quand il me menaçait de la ceinture, au cas où j'aurais voulu me confier à quelqu'un. Je n'ai jamais rien dit d'ailleurs. Je m'imaginais qu'il avait des oreilles partout, qu'il saurait si j'avais parlé à un tel ou un autre de « ça », du secret. J'ai découvert aussi que ce secret était plus le sien que le mien. Je m'en voulais. Ça oui ! J'étais sale, et lui un monstre. Mais lui, je m'en fichais complètement. C'était moi qui comptais. Ma survie. Son secret à lui, c'était du bidon. Moi je n'avais jamais voulu ce qui arrivait, et je n'ai jamais aimé une seule fois ce qu'il faisait. Pour lui c'était différent. Il s'était mis dans le crâne que j'éprouvais du plaisir, que j'étais heureuse, que tout baignait, point à la ligne. Pour moi, en admettant que je dévoile son putain de secret, on ne me croirait pas. Aux yeux des autres, ce serait moi la fautive. Ce serait moi, la sale gamine qui aurait provoqué son très cher papa. Moi qui lui aurais demandé de me violer. Cette idée, je me l'étais fabriquée toute seule parce que l'inceste, personne n'en parlait autour de moi, jamais, même la télé, jusqu'à une émission qui est venue beaucoup plus tard. Je prenais cette idée en moi d'abord, et ensuite sur ce que j'entendais dire des femmes violées. Ça n'existait pas le viol, la plupart du temps. C'était toujours la femme qui avait provoqué l'homme. Alors pour moi ce serait pareil. Je gardais donc son secret, de peur d'en être punie en le révélant. Ça c'est un truc que vous pouvez sûrement pas comprendre. La seule chose qui aurait pu me sauver plus tôt, c'est que quelqu'un le découvre ce secret. Seulement voilà, le silence était partout. A tel point que je me croyais unique dans mon cas. Ah! évidemment, si les filles se racontaient ce genre de chose à l'école, levaient le doigt pour dire au prof :

— Monsieur, mon père m'a encore violée cette nuit, j'en ai marre, je supporte plus...

Mais on lève seulement le doigt pour dire :

— Monsieur j'ai pas fait ma disserte, j'étais malade.

Et l'autre, le prof, il répond :

— Vous êtes souvent malade. Trouvez-vous une autre excuse la prochaine fois !

Et on est sans excuse. On fout rien en classe. On fout rien à la maison. On laisse sa mère se coltiner tout le boulot, parce qu'on a une pourriture dans la tête qui ne veut pas s'en aller.

— S'il te plaît, arrête, avec les films porno...

— Ça te fait du bien. Tu apprends des choses.

— Je te jure que ça m'apprend rien.

— Tu mens. Regarde, laisse-toi aller, et tu verras que l'excitation vient toute seule. Détends-toi.

Je me tais, je fais semblant de regarder. Il est obsédé ce con. Je le méprise.

— J'ai pris une décision, ça ne peut plus durer. Il nous faut un endroit où on soit tranquille tous les deux.

Il a peur. Ma sœur grandit, elle traîne dans la maison, il a failli se faire surprendre l'autre jour, en train de me dire des cochonneries à l'oreille, sur la soi-disant nuit formidable de la veille, qui n'était qu'un cauchemar de plus.

— Je vais aménager le grenier en bureau, pour moi, pour nous deux.

— Ah bon !

— Je vais faire des travaux, tu verras ça te plaira. On pourra travailler tranquillement la nuit.

Ben voyons.

— Ça va te coûter cher...

— J'ai des amis pour m'aider, j'aurai des prix sur le matériel.

— Ah bon !

J'étais naïve. Je ne me suis même pas méfiée de son souci d'isolation. Il voulait la perfection. Qu'on n'entende rien. De la moquette par terre, sur les murs. Et il pressait ses copains, il fallait faire vite. Après ça, il s'est offert des meubles. Un énorme machin, genre bureau de ministre, pour lui, un fauteuil de président. Il se prenait vraiment pour quelqu'un d'important. Mégalo. Pour moi, un autre bureau avec une machine à écrire. Je l'ai choisi moi-même. Petite vengeance, j'ai pris le plus cher. Je voyais ça comme une vengeance, lui comme une complicité. En quelques mois, le piège était achevé. Je l'ai compris trop tard. Officiellement, il était question de travail, de facturations, de lettres à taper. En fait...

J'entre dans ce bureau, l'année de mes quinze ans. La porte est en bois marron clair. Elle ne fait aucun bruit. Par terre, la moquette est marron. Sur les murs aussi. Il ferme la porte à clé, derrière nous. Je m'attends au pire.

— Voilà notre domaine. J'ai fait tout ça pour que nous n'ayons plus peur de rien. Pour que nous soyons tranquilles. Tu vois la moquette ? On peut s'allonger dessus. Aucun bruit, le confort.

Il n'y a qu'une fenêtre sur l'un des murs, personne ne peut nous voir de l'extérieur.

Moquette, verrou. C'est pour moi.

— Tu resteras ce soir avec moi ?

Je baisse la tête. C'est oui.

C'était la nouvelle formule aussi, ça, en plus de la moquette et du verrou. On me posait la question, pour que je réponde oui. C'était important que je réponde oui. Ça me dégueulassait davantage. C'était oui, ou une raclée. Impossible de dire oui. Impossible de prononcer clairement en articulant : « Oui papa. » Alors je baissais la tête en signe d'assentiment, et je m'en allais en rentrant les épaules.

Vous auriez fait quoi vous ?

Je vous entends d'ici me répondre des tas de conseils. C'est facile les conseils. Vous lui auriez balancé des injures à la figure ? Une tonne d'injures ? Vous auriez couru le dire à maman ?

— Maman, y a papa qui a mis de la moquette partout dans son bureau, pour ne pas que tu entendes ce qu'il me fait la nuit...

Moi, j'ai baissé la tête. Parce qu'il n'y avait pas de réponse à la question que je me posais encore et toujours : « Quoi faire ? »

Quand on est devant un fait accompli, on reste bête. Con. J'avais quinze ans et je me sentais totalement impuissante.

Lui il avait son joker : le chantage. Moi rien. J'étais une gosse et une gosse ça n'a pas de joker. Tout le monde sait qu'on n'a pas droit à la parole, nous les gamins, on n'est pas censé dire des choses intelligentes. En fait, les plus cons, ce sont les adultes. Ce sont eux qui ne comprennent rien. Pourvu que je ne leur ressemble jamais.

Je bois de la bière. « Chez C », le bistrot où les jeunes se réunissent pour discuter. Depuis quelque temps je bois pas mal pour ne pas penser à ce qui m'attend. Ça me décontracte. J'arrive à parler aux copains de choses et d'autres, à faire semblant, comme si. A passer le temps. La solitude, même au milieu des autres, de leurs rires, de leurs blagues. Le temps qui passe à essayer d'effacer la petite phrase : « Tu viendras ce soir. »

Je ne veux pas rentrer chez moi ni parler à Flo. Je me fiche pas mal de ses histoires de fringues, de disques, ou de maquillage. Personne ne sait. Je bois ma bière. J'ai dans la tête la chanson de Brel, la pendule qui fait tic-tac, et ne s'arrête jamais. Je voudrais arrêter le temps. La bière, ça sert un peu à ça. Les idées s'embrouillent.

Ce soir, je vais servir de garce. Ce soir je vais subir les choses qui m'écœurent, et en plus je dois fermer ma gueule.

Un bruit, des aiguilles, une montre, des heures. Je regarde ma montre à longueur de temps. Que neuf heures n'arrivent pas. C'est à neuf heures qu'il rentre. Personne ne peut l'empêcher de rentrer chez lui. J'ai bu trop de bière, j'ai pas faim.

Maman a dîné. Ma sœur et mon frère ont dîné. L'ordre règne dans la maison au retour du petit chef. Pas de télévision après vingt heures trente, pour les gamins. Au lit et au trot les gamins. Maman traîne une petite mine fatiguée, qui me fait peine. Elle en peut plus de marcher toute la journée dans son épicerie, de charger et décharger les livraisons, de faire sa caisse, les commandes. Elle plonge dans une déprime qui ne m'aide pas.

Le petit chef surgit dans la cuisine sans que je l'entende. Ça me flanque un coup à l'estomac. La peur. Je vais mourir.

Maman pose une assiette sur la table, pour lui, une fourchette, un couteau, un verre.

— Nathalie a du travail ce soir.

— Ce n'est pas raisonnable. Et l'école demain ? Elle a de plus en plus de mal à se lever...

— Ça ne durera pas longtemps. Une lettre à taper, je l'enverrai se coucher tout de suite après.

— Tu le promets ?

82

— Je te dis qu'il n'y a qu'une lettre !

Même ma mère se tait quand il prend ce ton-là. Le petit chef. Le mari, le père. Jamais elle ne me sortira de ses griffes. Elle n'en a pas la force. Trop l'habitude d'obéir. Trop l'habitude de l'entendre parler de l'éducation et du travail, de l'autorité et des interdits. Un père modèle. Maman ne voit pas mon regard. Elle ne lit pas ce qu'il y a dedans.

Il avale une boîte de conserve, fume une gauloise sans filtre, sans me lâcher des yeux, et moi je ne lâche pas le morceau de pain que j'émiette sur la table. J'écoute les petits bruits furtifs des autres qui vont se coucher, dormir. En paix.

J'ai froid, et chaud. Mes cheveux m'agacent. Le goût de la bière dans ma bouche me fait la salive amère. Je compte et recompte les miettes.

— Va au bureau, il y a du travail qui t'attend. Commence sans moi.

Je traverse l'appartement, en longeant le couloir. Je vais dans le bureau à moquette. La montre marque onze heures du soir. Je n'ai pas vu passer les deux dernières heures. Il est arrivé, a mangé sa boîte de conserve, fumé sa cigarette. Et tout ça en deux heures. Il m'a semblé que dix minutes seulement s'étaient écoulées et que maman n'était pas encore couchée avec son tranquillisant.

Il n'y a personne dans cette maison. Elle est déserte. Il n'y a que moi et ma trouille.

Il n'y avait que moi, ma trouille et ma résignation. Pour lui, le champ était libre maintenant. Avant ce bureau à moquette, il y avait encore un risque, il faisait partie du jeu, il limitait les dégâts à deux ou trois soirs par semaine, je ne sais même plus. Parfois, il y avait seulement les cassettes porno. Maintenant il avait le monopole sur moi et sur la nuit. C'était comme au temps où le maître avait droit de vie et de mort sur son esclave. Son objet.

J'étais résignée. Je devais obéir, j'obéissais sans riposter, comme si j'étais consentante.

J'ai la tronche d'une nana consentante ? J'ai la tronche d'une nana obsédée sexuelle ? C'est ce que vous pensez ? Je m'en fous. Et puis non, je m'en fous pas. J'ai essayé de m'en foutre. Ça reste. C'est là, imprimé en moi, pour le reste de ma vie. La honte irréversible. Encore maintenant dans la rue, j'ai le sentiment que les passants savent. Qu'ils le voient sur mon visage. Je tends la main à quelqu'un et je me dis : « Il sait. »

Ce soir-là, j'ai souhaité qu'il crève encore plus que d'habitude. S'il peut y avoir des degrés. Et je souhaite LA PEINE DE MORT pour ceux qui sont comme lui. Je souhaite qu'ils en bavent, qu'ils souffrent comme ils font souffrir leurs enfants, et qu'ils crèvent après. Seulement après. S'attaquer à sa propre fille c'est la preuve qu'on n'est pas un homme. Une merde. Pour tous les salauds comme lui, qui osent vivre en ce moment, qui racontent des histoires à la mère, qui jouent les bons pères de famille irréprochables dans la rue, au supermarché, qui disent : « Fais ça, ne fais pas ça, va au lit, montre ton carnet de notes. Qui c'est cette copine ? Qui c'est ce copain ? Obéis, tais-toi, mange », qui disent « c'est moi qui nourris la maison, c'est moi le chef ». Pour tous ceux-là, qui détruisent la vie de leur propre fille, qui la démolissent pour l'éternité, je veux LA MORT. On n'a pas le droit de la réclamer. Vous voulez que je tende l'autre joue ? Une fille m'a avoué un jour, qu'elle avait été violée une fois par un copain de son père. Elle arrive à oublier, elle. Parce que c'était un étranger. Pas son père. Parce qu'il l'a violée une fois, pas pendant des années. A quinze ans, j'en étais déjà à deux ans et demi de tortures paternelles. On m'enfermait pas dans un placard, on me tapait pas dessus avec un balai ou une poêle, on m'ébouillantait pas, on me privait pas de nourriture... c'était pire. J'étais pas une enfant battue. J'étais violée jour après jour. A coups de ceinture, comme dans les cassettes porno, dans toutes les positions, avec tous les fantasmes de l'obsédé dont j'avais hérité pour père. Une garce j'étais. Soumise. Obéissante, résignée.

Je mange un bonbon à la menthe et je fais le travail. Les factures, les lettres à taper, justifient ma présence dans ce piège infernal. J'ai fini. Il entre avec un sourire jusqu'aux oreilles, ferme la porte au verrou.

Je me souviens d'une chose lointaine, dans une autre vie, celle où j'étais enfant. Il y avait du soleil en hiver, il était sur le pas de la porte, et il me tendait une poupée. Je me suis accrochée à lui, il m'a prise dans ses bras, il m'a soulevée d'un bras et de l'autre il faisait danser la poupée. Si la photographie de cet instant existait, je la brûlerais.

Il y a trois personnages en moi.

L'enfant Nathalie. Elle est morte.

La garce Nathalie. Je l'exorcise.

Et moi. Je m'appelle Autrement.

De temps en temps, c'est Autrement qui vous parle, comme en ce moment. C'est Autrement qui veut que vous compreniez que vous entrez dans l'enfer de l'inceste. Je ne suis pas un écrivain, je le deviendrai peut-être, je vous parle avec mes mots, mes cauchemars, mes visions, j'essaie de faire l'autopsie des événements. De l'apprentissage que j'ai subi. J'étouffe dans cette recherche minutieuse, comme vous étouffez peut-être. C'est tant pis. Il n'y avait rien d'autre que cet étouffement. C'était un couloir, avec moi à un bout, dans le noir, et lui le salaud, à l'autre bout. Il n'y avait plus de lumière. Rien n'éclairait les autres, ou à peine. Parfois, j'arrivais à les distinguer, vivant une autre vie que la mienne, à l'extérieur de ce couloir. Ma mère, ma sœur, mon petit frère. Une copine, un professeur, une voisine. La réalité, la vraie, la mienne, m'empêchait de participer à leur existence. Les autres personnages étaient flous. J'étais sur la scène d'un théâtre des horreurs, en train de jouer le premier rôle. C'était moi le personnage le plus important. Et lui.

Il est nazi. Il croit à l'ordre et à la discipline. A la cravache. Il prend du plaisir à torturer. A dominer. Du moins il le croit. Il croit aussi que le sexe, son sexe, est un instrument de puissance. Comme tous les minables et les lâches. Il est impuissant. C'est paradoxal, et je ne l'analyse que maintenant, bien sûr. Ce dingue de porno avait besoin de mise en scène, d'images, d'alcool, de drogue, de ceinture en guise de fouet, pour se satisfaire. J'étais l'otage de ce nazi dégénéré. Il m'avait enfermée dans son couloir de la mort, avec la peur, l'angoisse et la souffrance pour compagnes de prison. A un âge où on cherche le soutien, l'affection, l'amour, les explications et les réponses à tellement de pourquoi.

C'est la raison pour laquelle j'étouffe dans ce récit, et vous avec. Mais je me suis jurée de ne rien laisser passer. L'exorcisme, le passage de la garce Nathalie à Autrement, ne peut se faire qu'à ce prix. Vous le payez avec moi, c'est la moindre des choses que vous puissiez faire.

Ce sourire jusqu'aux oreilles. Il se fout de moi. Il s'assoit à son bureau de ministre, et dépose sur la table une bouteille de champagne, et un petit paquet.

— Ce soir, c'est la fête. On va arroser tout ça. J'ai une surprise. Assieds-toi là.

Je m'assieds en face de lui, de l'autre côté du grand bureau. Il ouvre la bouteille, le bouchon fait un bruit d'enfer, mais il est tranquille, la moquette étouffe les bruits.

Il essuie deux coupes, verse, et se lève pour éteindre le néon central. Il dépose une serviette sur ma lampe de bureau, pour tamiser la lumière.

— J'ai des choses à te dire.

C'est la première fois que je bois du champagne. Avant, même à Noël, pas question de mettre le nez dans une bulle. Éducation oblige. J'ai changé d'éducation, on dirait.

— Il faut que tu saches une chose. Ce soir, je veux que tu obéisses à tout ce que je te dirai de faire. Je ne veux pas entendre d'excuses bidon. N'oublie pas que c'est moi qui commande ici. Sinon... je serai obligé de te purifier du mal, avec ça.

La ceinture.

Il lève son verre, boit, et je fais pareil. L'air de rien, je tends le bras pour rallumer la lumière.

— Tstt... Tstt... qu'est-ce que j'ai dit ?

— Et les factures ? J'ai tapé la lettre, mais y a encore les factures...

J'ai fait exprès de ne pas terminer. Mais ça ne marche pas.

— C'est pas urgent.

Il boit, je bois, il me sourit, j'ai envie de lui écraser son verre sur la gueule. Il attend d'être sûr que tout le monde dort. Il surveille le silence, en entrouvrant la porte.

— Viens au salon, maintenant.

Le salon, ça veut dire magnétoscope et cassettes porno.

Il me fait asseoir sur le divan, bidouille la télé, et revient s'asseoir à côté de moi. Chaque fois qu'il s'approche à moins d'un mètre, je me transforme en bout de bois, en pierre. Le film commence par une musique banale, puis je vois apparaître sur l'écran deux hommes et trois femmes nues. C'était sûr. Encore un de ses films dégueulasses.

— C'est une partouze, tu vas voir...

Le pourri. Pourvu qu'il fantasme sur son film, et que ça lui suffise. Pourvu qu'il ne me touche pas.

— Va te changer ! Mets ta chemise de nuit !

Je traverse le salon, le couloir, sur la pointe des pieds, j'entre dans ma chambre, je me déshabille dans le noir, j'enfile cette chemise de nuit qui n'est jamais assez longue pour me protéger. Je refais le chemin en sens inverse. J'ai de plus en plus peur, à chaque fois, de ce qu'il va inventer.

C'est simple, il veut imiter les acteurs. Il veut faire les mêmes choses en même temps.

Impossible de m'échapper, de reculer, d'éviter ses sales

pattes. Il a sa tête de monstre. C'est le genre de choses qu'il aime, regarder du porno et faire pareil.

Dans ces moments-là, il ne parle pas, le son de la télévision est faible, lui concentré sur son obsession, et moi, j'ai la tête qui divague. Il me tire les cheveux, j'ai mal aux cheveux.

C'était long, cette saleté de film, ça n'en finissait pas. Je regardais ailleurs, le tissu du divan, les franges du tapis, le plafond, je serrais les dents en attendant désespérément la fin.

Comme d'habitude, je ne ressentais que du dégoût, du mépris pour ce pantin qui se tortillait ridiculement. Chaque geste que j'arrivais à éviter, ou à faire avorter, était une petite victoire harassante. Et il était de plus en plus fâché. Il avait espéré que l'alcool allait l'aider, me saouler pour que j'arrive à son but. Jouir. Il s'était planté encore une fois, le pauvre gars. Oh! je sais c'était mince, tout petit comme vengeance, mais il n'y pouvait rien. Et je profitais tout de même de mon pouvoir. J'étais un NON définitif. La seule chose que le bon Dieu m'avait laissé pour le combattre, c'était cette incapacité totale. Selon lui, il n'y avait pas de femmes frigides, mais seulement des hommes « rigides ». Sans m'en rendre compte vraiment, j'avais donc ce pouvoir de le mettre en échec, par ma simple et normale frigidité. Il fallait être dingue comme il l'est, pour espérer autre chose. Ça le rendait fou furieux. Il faisait bien semblant, lamentablement, d'ignorer mon dégoût. Il m'engueulait en me disant que je ne l'aimais pas, que c'était honteux de ne pas aimer son père et de ne pas lui faire plaisir...

— L'amour entre une fille et son père devrait revenir dans les mœurs. Ceux qui le disent tabou, sont des cons.

Il n'y a que devant moi qu'il serinait sa théorie, qu'il n'avait pas peur d'étaler sa philosophie de merde. Jamais je ne l'ai entendu parler de ça à quelqu'un d'autre.

Je le mettais en échec, mais la petite victoire était à

double tranchant. Car plus je reculais, dégoûtée, transformée en bloc de pierre, et plus il s'obstinait.

— On retourne au bureau.

Il m'entraîne, énervé, à nouveau dans cet univers de moquette, qui sent le renfermé et la colle. Il referme le verrou, il pose une serviette sur le trou de la serrure, au cas où quelqu'un viendrait regarder. Il ressert du champagne. Je dois boire, être saoule, pour que ça marche. Je dois être nue. Il en a marre. Tant mieux. Que ça finisse. L'alcool m'a fait un trou dans l'estomac, mais rien dans la tête, ni ailleurs.

Il reste le plus dur. Attendre qu'il en finisse avec son machin gluant, son orgasme. Il essaie de se retenir le plus longtemps possible et je ferme si fort les yeux que j'en ai mal aux paupières. Ça pue, cette salissure.

Il a fini. Je vais pouvoir aller me coucher.

— Reste là !

Oh non ! C'est pas vrai. Il va pas recommencer !

Cette fois, je me suis retrouvée avec un liquide dans la bouche. Celui qu'il déversait d'habitude sur mon ventre, puisque je ne prenais pas la pilule, et qu'il était « obligé » de faire attention. Cette fois je savais quel goût ça avait, cette saleté immonde. Il avait voulu me forcer à tout avaler, et j'ai pris un mouchoir pour tout recracher. Pour vomir.

Je n'ai plus de mots pour dire le dégradant, le dégueulasse. J'ai rampé par terre pour récupérer mes vêtements, le corps tout entier soulevé d'une nausée gigantesque. J'aurais voulu qu'elle me fasse crever, et lui avec. Cette souffrance... Dieu cette souffrance, comment s'en débarrasser ? Avaler de l'eau de Javel, me noyer, m'arracher la bouche.

Je tournais et me retournais dans mon lit, en me cognant la tête dans mon oreiller, en essayant de m'empêcher de respirer, en frappant les couvertures de mes poings, les ongles dans la peau. Une rage et une violence inouïes m'ont prise cette nuit-là. Je me croyais arrivée au sommet de l'horreur, je n'avais plus qu'à mourir. Je me suis relevée, je suis allée dans la cuisine me mettre la tête sous le robinet, j'ai pris du liquide à vaisselle, pour me relaver, encore et encore. On ne sait pas quoi faire d'autre que se laver. Se laverait-on l'infini qu'on ne pourrait faire disparaître la pourriture. Il faudrait ne plus ressortir de l'eau, jamais. Ou se jeter dans un brasier, flamber, devenir cendres. Plus rien n'est propre, plus rien ne peut rendre propre. On devient fou à chercher le propre.

De retour dans mon lit, j'ai mordu mon nounours, j'ai remordu l'oreiller, j'ai livré un combat de plumes.

Et, tout à coup, il m'est venu une idée de vengeance. Et peut-être aussi une idée de sauvetage. Avant de me toucher, il interdisait tout. Sortir, aller au cinéma, se maquiller, fumer, se coiffer différemment. Jusqu'à ma majorité, j'étais censée représenter son idéal féminin, la femme nature. Que je suis conne ! La voilà la solution ! Je sais maintenant comment me débarrasser de lui ! C'est simple. J'ai qu'à faire exactement le contraire de toutes ses interdictions. Il ne le supportera pas. Je vais fumer, me maquiller, sortir le soir, traîner, comme il dit... Je volerai aussi... il en aura tellement marre de moi, qu'il m'expédiera chez mes grands-parents en Belgique.

Je vais devenir tout ce qu'il déteste. L'adolescente infernale, chiante, menteuse, voleuse, avec du rouge à lèvres, du rimmel. Je vais voler du fric pour acheter des cigarettes. Je parlerai mal, je dirai des gros mots. Merde, bordel... comme Coluche. Ah ! il aime pas Coluche... Il va voir, cet enfoiré.

Cette idée m'a lavée. Je me suis retrouvée propre d'un coup. Il n'y a que l'idée de vengeance, et la vengeance, qui lavent plus propre.

Maman colle des étiquettes sur les boîtes de conserve. Moi je les range sur une étagère.

Elle en a marre. Faire l'épicière pourquoi pas, elle en a vu d'autres, mais il avait promis de l'aider et, au lieu de ça, il la laisse se démerder toute seule avec la gérance.

— Passe-moi les confitures d'abricots...

— Maman pourquoi tu le quittes pas ?

— Un jour, je divorcerai. Je veux attendre que vous soyez grands.

Elle a une mine grise. Accroupie à côté d'elle devant ces fichues conserves, je vois ses yeux cernés de près.

— Mais on est grands maintenant.

— Je ne veux pas qu'il fasse avec ton petit frère ce qu'il a fait avec toi. Il serait capable de le kidnapper. Tu connais ton père.

Mon père, c'est son mari. Depuis quelque temps j'ai des images dans la tête, insupportables. Est-ce qu'il lui fait la même chose qu'à moi ? Chaque fois que l'image survient je la chasse. Lui et elle, ensemble...

— Mamie m'a raconté pour le divorce, quand t'as essayé de partir avec moi... pourquoi t'as pas continué ?

— C'est de l'histoire ancienne...

— Oui, mais... il t'a trompée avec une femme...

— Ça n'a plus d'importance.

— T'es sûre ?

— Mais qu'est-ce que tu as enfin ? Qu'est-ce qui te prend de remettre ça sur le tapis ?

— J'en ai marre. Je le supporte plus.

— Moi non plus.

— Je sais.

— Tu ne sais rien du tout... A ton âge on ne sait pas grand-chose, et on a tout à apprendre. Surtout à l'école, et autant que je sache, l'école... c'est pas terrible en ce moment.

— Ils sont cons !

— Ne parle pas de cette manière ! Des gros mots maintenant ? Tu deviens insupportable !

— Si je suis insupportable, vous avez qu'à m'envoyer chez grand-mère en Belgique !

— La question n'est pas là. Écoute, à quinze ans, on est toutes un peu comme ça, on se révolte... on se croit plus grande qu'on est... Crois-moi, reste encore une petite fille le plus longtemps possible, et ne t'occupe pas des problèmes des adultes. Tu as bien le temps.

— Je suis plus une petite fille. J'en ai marre d'être enfermée. Je veux aller au cinéma comme les autres.

— On demandera à ton père.

— Tu peux pas décider toi-même ? Pour une fois ? Toujours lui...

— Il vous a élevés de son mieux. Je suis d'accord sur les principes qu'il vous enseigne. Qu'est-ce que tu voudrais ?

Sortir le soir, aller traîner comme ces filles qui s'habillent comme des...

— Comme des putes ?

— Tu le fais exprès ?

— Ben quoi, qu'est-ce qu'y a ? On n'a pas le droit de danser à mon âge ? Si on va danser, on se fait violer au coin d'une rue, c'est ça ? Si on regarde la télé on devient criminel ? Si on va au cinéma, c'est pour se faire peloter dans le noir, j'en ai ras le bol des interdictions...

— Elles sont nécessaires à ton âge. Ton père...

— Arrête avec mon père... Il me fait chier mon père... il a tous les droits lui...

— Nathalie !

Je lâche les boîtes de conserves et je me tire.

Ce jour-là, et d'autres jours, dont je me souviens mal, j'ai essayé de lui faire comprendre. Mais je parlais à côté. Je prenais des chemins de traverse. Tout ça finissait par : « Elle est en crise d'ado. »

Maman est une maman, normale. Je voulais qu'elle comprenne ce qui se passait, mais je ne pouvais pas lui dire. HONTE. A chaque fois que j'avais le besoin terrible qu'elle découvre la vérité à travers mes mots, on ne parlait pas de la même chose.

Toute seule, j'imaginais les demandes et les réponses et je les rayais aussitôt de ma tête. Comment lui dire les trucs sales ? Je les avais déjà subis depuis trop longtemps pour ne pas être coupable moi-même. Ensuite, il y avait la certitude qu'il me foutrait une tannée dont je ne sortirais pas vivante. Et puis, j'étais persuadée qu'elle croirait que je l'avais provoqué. Que c'était moi la petite garce. Pas lui. Une vicieuse. Pour Franck il lui avait raconté ce qu'il voulait. Elle était dans le piège avec moi. Elle ne me faisait plus confiance. Même si elle n'avait pas cru à tout. Par exemple, elle ne croyait pas que j'avais couché avec un garçon à douze ans et demi. Alors, comment lui révéler tout d'un coup, « il a menti, c'est pour pouvoir coucher avec moi tranquillement. Il dit que c'est ça l'amour d'un père pour sa fille, qu'il est fier d'avoir été le premier. L'initiateur. » Comme ce père arabe qui a sodomisé sa fille pendant des années, pour la garder vierge. J'ai lu ça ces jours-ci dans *Nice Matin*. Chacun son horreur. Il aurait pu aussi la vendre au marché aux esclaves. Une vierge, c'est important une vierge, dans le temps ça valait cher. Le mien n'était pas arabe, il était sadique. Un catho sadique. Il s'était réservé ma virginité. Toutes mes virginités.

Maman était la dernière personne à qui j'aurais pu parler. J'y suis pas arrivée. Je voyais déjà ses grands yeux noirs ouverts sur l'horreur. Une invention affreuse, qu'il aurait vite fait de mettre au point. Le roi des menteurs, le roi des salauds.

Il y avait autre chose aussi : sa déprime. Maman n'était pas heureuse avec ce type, et restait là, à supporter cette vie de con, pour nous, les gosses. En apparence, famille impeccable, les enfants au lit à l'heure, propres, bien élevés. Il n'y avait que moi qui «bénéficiait» de l'interdiction de me coucher avant qu'il rentre. Sous prétexte qu'il pouvait avoir du travail à me donner. Pour la réussite de ses affaires, pour le bien de toute cette petite famille. Maman, elle allait se coucher de bonne heure avec ses pilules de déprime. Croyant dur comme fer que son mari était au moins un bon père de famille. Croyant à la sécurité financière et morale. N'imaginant pas une seule seconde qu'un type aussi sévère et aussi strict sur l'éducation des enfants pouvait violer sa fille deux ou trois fois par semaine, et lui flanquer des roustes si jamais elle disait non. On m'a souvent posé cette question : « Et ta mère ? Pourquoi t'as pas parlé à ta mère ? »

Ça, ça me fiche en rogne. Ça veut dire que vous n'y comprenez rien, et encore moins que rien. Mettez-vous une bonne fois dans la tête que quand un adulte salit un gosse, il l'empêche de parler, du fait même qu'il l'a sali. Un gosse on le traite de menteur, dès le premier mot. Il le sait, le gosse. Vous feriez bien d'y réfléchir, avec votre autorité d'adulte à la noix. Les je-sais-tout... Quand un gosse ment ou se tait, c'est qu'il a peur.

C'est à vous de découvrir. A vous de faire l'effort. Qu'est-ce que vous croyez ? Pourquoi est-ce que tous les gosses battus, violés, et même les femmes violées, la bouclent la plupart du temps ? Hein ? Pourquoi ? C'est qu'ils ont le même problème multiplié par deux. Honte multiplié par peur. Et on tourne en rond avec ça. Vous dans l'indifférence, nous dans l'horreur.

Maman, plus honte, plus peur, plus papa sadique. Parole impossible.

Ce soir j'allume une cigarette sous son nez. Je m'attends à une bonne raclée. Silence.

J'écrase la cigarette dans le cendrier, sur son bureau, je sifflote, et je vais m'asseoir devant ma machine à calculer. J'en rallume une autre. Rien.

C'est pas possible qu'il s'en fiche. Il va gueuler. Il faut qu'il gueule. Sinon je n'aurais pas déclenché la guerre que je veux.

J'ai fini mon travail, je ramasse mon paquet de Marlboro, ma boîte d'allumettes et je m'en vais.

— Où vas-tu ?

— J'ai fini, je vais me coucher.

— Demain, tu resteras. Et tu m'attendras, je rentrerai un peu plus tard.

Compte là-dessus, et fais bien les additions. Demain, j'en rajouterai. J'ai fauché du fric dans le tiroir-caisse de ma mère. Ça fait drôle de faucher du fric comme ça. Mais je m'en fous. Je volerai tout s'il le faut, pour qu'on me punisse. On va bien finir par me punir, et me foutre à la porte de cette maison.

J'allume une bougie dans la chambre. Je ne peux plus me passer de bougie. La flamme me tient compagnie. Je rêve avec elle. Je m'empêche de dormir aussi. Toujours la trouille qui rapplique avec sa tronche mauvaise, son peignoir marron. Je me couche tout habillée. Comme si un pantalon pouvait me protéger de quelque chose. Comme si un soutien-gorge pouvait empêcher ses sales pattes de se poser sur moi.

Mon nounours et ma poupée noire, mon oreiller, ma bougie, c'est tout ce que je possède au monde pour ne pas être seule. La poupée noire, c'était au temps où il était papa. On était dans une grande surface, je sais plus où. J'étais fascinée par cette poupée noire. Maman ne voulait pas l'acheter, c'était trop cher. On était déjà à la caisse, et il est arrivé en courant avec la poupée. Je devais avoir dix ans, onze ans... J'étais si heureuse. J'en ai quinze, le petit trésor à son papa est devenu la garce à son papa, et la poupée noire est toujours là à me regarder pendant que je lui parle de mes rêves. Je rêve que tout s'efface, qu'il redevient le père d'avant. Ou alors qu'il s'en va, qu'il nous quitte pour aller vivre ailleurs. Des fois c'est moi qui m'en vais, avec un baluchon. Mais où ? Peut-être que je ne suis pas normale ? Peut-être que c'est de ma faute, tout ça ? A force d'aimer son père, de le prendre pour un dieu...

Non, c'est pas ma faute. Elle me croit, elle, la poupée noire.

Ma sœur a d'autres poupées, elle est à l'abri, ça ne lui arrivera pas tout ça, c'est moi que le bon Dieu a maudite. Qu'est-ce que j'ai pu faire comme mal depuis que je suis née, pour que ce soit moi la maudite ?

La bougie fait des petites vagues en coulant sur le bougeoir en olivier. C'est joli, ça calme. Comme la bière.

J'entends du bruit dans l'appartement. Il redescend du grenier. Je mouille mes doigts pour éteindre vite la bougie. Je m'enfonce sous les draps, l'oreiller sur la tête. Pourvu. Pourvu, pourvu qu'il n'ouvre pas la porte. Peut-être qu'il a retardé le moment de me flanquer une raclée, pour la cigarette.

J'entends plus rien. Il est minuit, c'est pas pour ce soir.

C'est pas pour ce soir, parce que maintenant j'entends le moteur de la Mercedes. Il se tire. Il va voir ses copains. C'est pas pour ce soir.

Ma pauvre guerre ! Je croyais avoir trouvé un moyen de le foutre hors de lui ! Dès le lendemain, j'étais démoralisée. Non seulement je n'ai pas eu de raclée, mais je me suis vite rendu compte que mon plan tombait à l'eau. Quand il est rentré, il m'a emmenée direct dans son bureau. Il avait déjà les clés à la main en arrivant. Comme d'habitude il a fermé à clé, tamisé les lumières, mis une serviette sur la poignée de la porte pour cacher le trou de la serrure. Il s'est assis dans son fauteuil de ministre, et m'a tendu un paquet de cigarettes avec une petite boîte emballée dans du papier cadeau. Il était radieux. Tout content de lui et de sa trouvaille. Dans le paquet, un sale cadeau : un briquet. Mais pas n'importe quel briquet. Un briquet de couleur crème, en forme de corps de femme. Pour avoir du feu, il fallait appuyer sur les seins.

— Alors ? Qu'est-ce que tu en dis ? C'est chouette non ?
— C'est chouette.
— Promets une chose. Ne fume pas trop !

C'est foutu ! Non seulement il a accepté que je fume, mais il m'achète des cigarettes. Et un briquet d'obsédé en plus.

— Alors ? Comment on va remercier son papa pour le joli cadeau ?

Ça, ça veut dire que je vais y passer. Pas de cadeau gratuit. On paye cash. Je cherche une idée, vite, quelque chose à inventer pour me tirer de là, je ne trouve rien. Les règles, il s'en fout. Le mal à la tête, pareil. Le sommeil encore moins. Les devoirs, l'école, il s'en tape. J'ai trop hésité. Il est méchant quand j'hésite trop. Le ton change en une seconde.

— De toute façon tu restes! Compris?

Si seulement il trouvait quelqu'un d'autre. Il a déjà eu une maîtresse avant, peut-être plusieurs. Si seulement je pouvais filer ma place à quelqu'un.

Allumer une cigarette, ça retarde le mauvais moment. Faire les factures aussi. Mais je ne peux pas tarder beaucoup. Il faut que le travail soit vite fait et bien fait. Sinon...

Je fais vite, mais il faut encore attendre qu'il ait fini et décide de la nuit. De SA nuit. Je le regarde derrière son bureau de P-DG, qui se croit fort. Qui fait son numéro d'homme d'affaires. Tu tripatouilles les factures, oui... y a pas longtemps que j'ai compris, entre autres choses, à quoi je servais aussi. Les factures des clients qui les réclament, on les enregistre. Celles des clients qui s'en foutent, ou paient en espèces, elles passent à l'as. Voilà pourquoi il vaut mieux faire la comptabilité en famille. Et son fric, il passe où son fric? Il en donne tout juste à maman. Il se paye une Mercedes, il sort la nuit avec des copains, et quand il sort pas, c'est moi qui paie. Il est bien organisé ce pourri.

Merde, il me regarde.

— Tu es jolie ce soir. Tu sais que tu es jolie? Et ton corps aussi est joli.

J'en ai rien à foutre de ses compliments de merde. Je veux aller me coucher. Je veux aller dormir en étant propre.

Il ouvre son tiroir, celui qui est toujours fermé à clé, et en sort la petite boîte que j'ai déjà vue une fois, le soir du champagne. Il parle, parle, j'écoute plus. Quand je décide que j'en ai rien à foutre, il peut toujours raconter ce qu'il veut, j'ai fermé les oreilles. Encore une cigarette.

— Non, attends!

Il ouvre la petite boîte. Il y a des cigarettes à l'intérieur.

— Prends les miennes.

— Pour quoi faire? Qu'est-ce qu'elles ont les tiennes?

— Ces cigarettes, ma chérie, je les ai faites exprès pour toi. Je voulais que, ce soir, tu sois bien. Vraiment bien.

Je comprends pas. Pourquoi pas les miennes ? Qu'est-ce que c'est encore ce numéro ?

— Si tu ne veux pas être purifiée, tu vas fumer une de ces cigarettes.

Purifiée à la ceinture. Merde. Je comprends pas.

— Mais j'en veux pas. Laisse-moi tranquille avec ces trucs-là. Je veux fumer les miennes. Et puis d'abord j'en ai marre de tes conneries ! T'entends ? J'en ai marre. Ras le bol.

Cette fois, j'y vais fort. Gros mot. Ras le bol. Ça devrait exploser normalement. Ça explose. Il hurle :

— Ah bon ? Tu ne veux pas fumer ça ? On va voir. Déshabille-toi et dépêche ! Allez, me fais pas chier !

Même ça, ça ne pouvait pas marcher. Il se fichait pas mal que je l'affronte. Il pouvait hurler. Il avait prévu l'isolation. Et il hurlait : « Fais pas chier ! »

J'avais gagné le cocotier là. Je n'avais plus qu'à me déshabiller en vitesse. Il était capable de me tuer sous les coups. J'étais déjà morte de peur. Il a pris sa ceinture, il s'est mis à cogner comme un forcené en criant que je ne devais pas désobéir. Jamais désobéir. La ceinture faisait des aller et retour démentiels, le cuir avait l'air de déteindre sur ma peau. Mon corps, ma poitrine surtout, étaient devenus rouges et je n'avais aucun moyen de défense. Cette saleté de ceinture arrivait toujours à passer entre mes mains, mes coudes. Vous avez déjà vu au cinéma le genre de scène où on flanque des coups de fouet dans le dos des esclaves, ça ne vous fait ni chaud ni froid de voir ça. C'est du cinéma. Une ceinture de cuir qui claque sur la peau nue, vous savez pas la douleur que c'est. Le sifflement, le claquement, la douleur, et ça recommence. Il était complètement dingue cette nuit-là. Un fou. Un hystérique. Il s'est déchaîné. Il aimait ça. Ça le soulageait. Il était heureux après. Et moi j'étais quoi ? Un chien. Qui pensait à moi ? Personne. Qui se souciait de mon bonheur ou de mon malheur ? Personne. J'étais un objet qu'on frappe pour se soulager. Pas une petite jeune fille. Une rien du tout. Une moins que rien du tout. Et après j'ai bien été obligée de la fumer sa saloperie de cigarette. Ça avait un drôle de goût, dégueulasse, en fait. Mais je pouvais pas y échapper. Ou je fumais, ou il recommençait à me « purifier ».

Je me revois en train de grelotter de peur, et de douleur, à avaler cette fumée. Je l'entends encore dire : « Avale la fumée, avale. Tu vas voir c'est terrible. » Ça me tournait la tête, et je voulais savoir ce que c'était ce truc à vomir. C'était du shit. De la drogue. Il me droguait moi, sa fille !

— Tu vas voir ça décontracte. Avec ça, tu vas prendre du plaisir...

Il croyait vraiment que j'allais grimper au septième ciel avec son shit. Il s'était planté le mec. Ça me tournait la tête, rien de plus. Il s'est jeté sur moi, en croyant que j'allais aimer, « aimer », tout ce qu'il allait me faire. Et je ressentais rien. Rien de rien. J'étais frigide. Il fallait qu'il l'accepte. Et ce n'était ni sa drogue, ni son champagne, ni rien d'autre, qui changerait quoi que ce soit. Je ne ressentais que la haine, des marées de haine. C'était un salaud, et moi une garce, mais je ne voulais pas lui ressembler. Pour rien au monde.

J'ai dû fumer un deuxième de ses joints et entendre ses conneries éternelles. J'avais eu un orgasme, j'avais joui. Il s'en persuadait. Ça tournait, ça tournait, j'étais au bout du rouleau, mais lucide. Je me foutais de sa gueule en silence, il ne me restait que ça. Je l'insultais. « Pauvre mec, pauvre taré, pauvre con, si tu crois que ça me fait quelque chose tes saloperies... »

Je faisais les comptes moi aussi. Je les classais. La facture montait. On en était arrivé à la drogue, maintenant. Le viol, les flagellations, les caprices sexuels, je commençais à avoir l'habitude. La drogue, c'était autre chose. Il allait me foutre en l'air, physiquement et moralement, dans un seul but : combattre ma frigidité.

« L'amour entre père et fille, c'est normal. Ça devrait

passer dans les mœurs. Le père doit être le seul initiateur de la sexualité de sa fille. Une fille doit aimer son père et lui obéir aveuglément. » C'était son catéchisme. Avec les coups pour faire comprendre. Le shit lui atteignait vraiment le cerveau.

Depuis trois jours, il me fout la paix. Je suis au bout du rouleau. Heureusement, c'est le week-end. Bonnard pour moi. On est samedi, je vais fêter l'événement chez « C ». Il me faut des sous, pour payer les bières. Je pique encore dans la caisse du magasin. J'ai quinze ans et je suis alcoolo. J'ai touché à la drogue. Je picole en racontant des conneries aux copains dans ce bar. Ce soir, j'irai au bal à Saint-Machin. J'emmène la petite sœur, c'est l'alibi, la petite sœur. Ce cher papa ne veut pas que je sorte seule. Pour la galerie sans doute ? Si jamais je me conduisais mal ? Si je délirais dans les bras d'un garçon ? J'en ai marre de trimbaler la frangine. De jouer la nounou.

J'arrive au bal, la tête pas très claire, qui danse la valse. J'éclate de rire, à tout bout de champ comme si la vie était belle. C'est l'avantage de la bière, on oublie. Et je danse, je danse sans me soucier des autres, ni de ce que l'on peut dire de moi. Je m'éclate. J'en ai complètement rien à foutre des autres.

— Alors Nathalie ? Ça baigne ?

— Ça baigne...

Écroulée à une table, je chiale maintenant. Ma copine Flo n'y comprend plus rien.

— Ben, qu'est-ce qu'y a ? Tout le monde te regarde, arrête...

Je voudrais bien, mais c'est la crise. Je deviens dingue. Je pleure d'un coup toutes les larmes de mon corps.

— J'ai cassé avec Paul. Il m'a lâchée.

— Paul ? T'étais avec Paul ?

— Ben, oui...

Je mens. Je m'invente des petits copains. Ils seraient

bien étonnés les garçons, s'ils savaient que je leur invente des histoires d'amour avec moi. Elles ne durent pas long-temps d'ailleurs. Un coup c'est Paul, un coup c'est l'autre. Je repère un mec, il est sympa, les filles lui courent après, ou non, peu importe, je me l'invente pour moi, et il me lâche. Comme ça je peux pleurer pour quelque chose. Je mens, sans arrêt, à tout le monde. Personne ne saura la vérité, jamais. C'est comme ça, sinon je risque gros.

Ça défoule, le mensonge. Flo me console. La soirée est finie. Je ramène la petite sœur, je retrouve ma chambre avec les mêmes problèmes, les mêmes angoisses. J'allume une bougie.

Elle est sympa Flo, mais elle pige rien. Elle croit toutes les salades que je lui raconte. Pour elle, je sors avec une tapée de mecs. Elle aurait pu chercher un peu plus loin. Est-ce qu'on pleure comme ça pour un flirt ? Personne n'imagine que c'est plus grave. Personne ne pose de vraies questions.

Je voudrais crever, mourir, je le jure.

Je suis devenue méchante après cette soirée au shit, et ce week-end à boire. Les cigarettes, l'alcool, les copains, ça me défoulait un peu, c'est vrai, sur le moment. Et puis tout recommençait, alors je devenais méchante. Insensible, froide, détachée de tout le reste. J'étais dans un tunnel, moi à un bout, lui à l'autre. Il fallait l'accepter. Alors je n'accep-tais plus le reste, ni les autres. A l'école, je ne foutais plus rien. Le soir, je ne faisais même pas mes devoirs. Dans l'absolu, je voulais devenir avocate, mais pour l'instant, je n'avais pas la tête à ça. J'avais juste assez de force pour le subir, et plus aucune énergie pour quoi que ce soit d'autre. Il avait fait de moi une garce et une lavette, une merde. J'en avais marre de calculer l'heure à laquelle il allait arriver, afin que je puisse me casser sans qu'il me voie. Marre de guetter le bruit du moteur de la Mercedes, de sursauter aux coups de téléphone, aux bruits de portes, la nuit. Le seul fait de me trouver dans une pièce avec lui me flanquait les boules. Il ne me restait que l'agressivité et le mensonge. Tu parles d'un menu pour exister ? Mentir le matin au petit déjeuner.

— Bonjour, papa. (Va te faire foutre ailleurs, papa.)

Mentir le soir.

— Oui, j'ai mes devoirs maman. (Tu vois pas qu'il attend que t'ailles te coucher ? Tu vois pas ?)

Mentir la nuit.

— Oui j'aime ça. (Salaud, pourri, ordure, je vomis ce que tu viens de me faire.)

Mentir à l'école.

— J'ai pas fait ma disserte, j'avais mal à la tête. (Tu vois pas que j'en ai rien à secouer de Voltaire ? Tu vois pas que j'ai mal ?)

Mentir aux garçons de mon âge.

— Lâche-moi, j'ai un copain. (Tu me dégoûtes toi aussi, sale petit mâle.)

Mentir à maman.

— Je suis pas malade, c'est la crise des ados... Tu le dis toi-même. (C'est lui qui est malade, ton mari... le père de tes enfants... Tu vois pas le monstre ? Tu le laisses me toucher ?)

C'était devenu une seconde nature, de mentir. C'était une autre, un double de moi, qui disait n'importe quoi, pourvu qu'on lui foute la paix. Petit à petit, je ne voyais même plus les autres, la famille, les professeurs, à peine les copains. Ce dont je me souviens de ma seizième année, c'est que la réalité s'était barrée. Elle était trop dure pour moi, j'étais trop seule. Je ne pouvais pas l'assumer.

— Alors, c'est les vacances de la Toussaint demain ? Tu vas pouvoir donner un coup de collier pour m'aider...

— Les vacances c'est les vacances. Hein maman ?

— Étant donné que tu n'as pas de cours, tu peux aider ton père, ça lui permettra de m'aider moi aussi...

L'enfer. Elle le croit. Il a besoin de moi tous les soirs pendant les vacances, elle n'y voit aucune objection.

L'enfer est pour ce soir, puisqu'il y a pas école. La cigarette n'a pas marché, je vais tenter le maquillage. Il faut qu'on m'expédie en colis d'urgence chez la grand-mère, pour me remettre les idées en place. Il faut que je déconne à pleins tubes, en gardant mon calme. Le maquillage il déteste.

Silence dans l'appartement, je suis seule dans la cuisine. J'ai acheté du bleu, du noir, du rouge, du vert. Je me fais des yeux bleus. Si bleus, si grands, qu'on pourrait les voir la nuit. Une gueule de clown. Je vais le rejoindre dans son bureau, je me mets en pleine lumière avec ma bille de clown et j'attends.

— Mets-en un peu moins.

Il s'en fout ou quoi ? Il fait celui qui remarque à peine. Mets-en un peu moins... C'est tout ce qu'il a trouvé ?

Pourquoi ce sourire cynique, celui qui me donne envie de lui écraser la figure... Qu'est-ce que j'ai fait comme connerie encore ?

— Tu as du boulot. Après j'ai une surprise pour toi.

Surprise. Il me parle comme à une gosse de cinq ans. Je les connais ses surprises.

En attendant, je fais le boulot. Les factures, la TVA à ventiler, les lettres aux clients, les dossiers à classer. Les heures passent, il ne me parle pas. Il va falloir que je reste après, c'est sûr. Avec sa surprise. Il garde le silence. Je sens qu'il me guette, qu'il attend le moment où il aura fini de travailler et moi aussi.

Il a une patience de serpent. Il faut que j'essaie une autre tactique, puisque ma bille de clown n'a pas marché. Je vais tenter le coup de la fille calme et gentille, qui ne refuse pas, mais qui a envie d'aller se coucher.

Il aligne quatre joints sur le bureau et arrange sa lumière tamisée. Une ambiance de mort.

— Il a fait froid aujourd'hui.

Le genre banal. Il faut que je réponde pareil.

— Oui. Pas trop.

Il a fumé du shit avant de rentrer. Ça se voit aux yeux.

— Ce soir, j'ai un service à te demander.

Un service à moi ? Lui, l'homme, l'être supérieur, va me demander un service à moi, la petite merdeuse ? Méfiance.

— J'ai une surprise pour toi, ce soir. Une vraie. Ce soir tu vas être bien. C'est simple, on va faire tout ce que tu voudras. Moi je ne dirai rien, on fera tout ce que tu aimes. Alors ? Qu'est-ce que tu en penses ? Tu es heureuse ?

Suffoquée. Je ne sais pas quoi répondre. J'aime rien moi. Rien de rien de ce qu'il veut toujours faire. Calme-toi, Nathalie, calme... réponds :

— Papa... si ce soir on allait se coucher, hein ? Si on faisait rien ? Tu sais en ce moment, je suis vraiment fatiguée, j'ai envie de rien. De rien du tout.

Vous voyez... J'essayais la gentillesse, la neutralité. Parce que j'y comprenais rien à sa surprise. Ça voulait dire quoi, on va faire tout ce que tu aimes ? Puisque je n'aimais rien. Puisque tout me dégoûtait. Seulement, je ne pouvais pas répondre ça. J'avais déjà essayé de le dire, et le résultat c'était la ceinture. Je ne pouvais que tenter le coup de faire la bête : ce que j'aurais aimé, c'était aller me coucher, parce que j'étais fatiguée.

Tout à coup son visage s'est transformé. Il est devenu blanc comme un cachet d'aspirine. Je ne savais pas si c'était de la colère, ou son ulcère qui lui faisait mal. Il en parlait souvent de son ulcère. Il fumait pour le calmer, soi-disant. Ça devait pas lui faire du bien le shit, j'y connais rien médicalement, mais quand même. Sur le moment, en le voyant si blanc, je me suis dit, « colère ou ulcère ». C'était la colère... Il s'est levé, m'a insultée avec des phrases creuses : j'avais pas le droit de lui faire ça, c'était trop dégueulasse de ma part. Je ne l'aimais pas, j'étais une petite salope qui n'aimait pas son père. Qui ne comprenait rien à rien... des tas de trucs comme ça. Je n'ai pas gravé ça dans ma mémoire, j'avais trop peur qu'il me frappe. Je baissais la tête, la trouille au ventre, sous un flot de paroles insensées, il tapait sur son bureau avec ses poings, et je n'ai retenu que ça : « Tu ne m'aimes pas, tu n'aimes pas ton père, t'as pas le droit de me faire ça. » Tout le reste, c'est embrouillé. Finalement, il m'a ordonné d'aller me coucher, en tapant de plus belle sur la table avec ses poings.

Et moi, au lieu de filer sans demander mon reste, je restais là sans savoir quoi faire, sans comprendre. J'avais dit ça gentiment, j'avais même fait très attention à ne pas le blesser. Le résultat était que j'étais complètement paumée devant sa réaction. Est-ce que je devais rester ou partir ? Je crois que j'avais peur de partir, et qu'il revienne me chercher, pour me frapper. J'aurais voulu que quelqu'un soit là comme par magie, pour me dire ce que je devais faire. Foutre le camp ou pas ? Il fallait faire vite. J'ai décidé de tenter le tout pour le tout. Je suis partie la tête haute, le cœur battant la chamade, comme jamais.

Vous me voyez ? Moi je me revois bien, ce soir-là, ouvrir la porte, le cœur éclaté tellement ça cognait fort. Refermer la porte. Marcher dans le couloir ni trop vite ni trop lentement, avec la trouille qu'il surgisse dans mon dos, et me rattrape par le cou, pour me traîner en sens inverse. Je me souviens aussi de ma bouche sèche, j'aurais pu avaler des litres d'eau.

C'est en me mettant au lit, que j'ai vu que je tremblais de partout. Impossible de m'arrêter. C'était comme si on m'avait mis un fil électrique. Avec le cerveau qui fonctionnait sur un seul mode : il va revenir me chercher, il va me battre, je veux pas, je veux pas avoir mal.

Et pas moyen de dormir, pas moyen de m'empêcher de penser et de penser encore. Quand est-ce que ça va finir ? Quand est-ce qu'il me foutra la paix une fois pour toutes ? Marre des mensonges, de cette vie de magouille et de merde. Je voulais être normale. Me regarder dans la glace sans me reprocher quelque chose. Être comme Flo, une nana normale.

Me regarder dans la glace, surtout ce soir-là, avec cette bille de clown aux yeux bleus, je pouvais plus. Tout ce que je subissais était marqué sur ma figure. Ça se voyait, je le voyais moi. C'était pas comme dans les contes de fées, « Miroir dis-moi si je suis la plus belle. » C'était : « Miroir je sais que je suis la plus moche. La plus sale. » Comment faire pour être comme les autres nanas de mon âge ? Flo, quand elle se regardait dans la glace, c'était pour traquer un bouton, ou se faire les cils. Pour se voir jolie. Moi j'y voyais des trucs... des trucs... tous les trucs avilissants, humiliants que j'avais dans la tête. On peut pas se passer la tête à l'eau de Javel. On peut rien nettoyer. Et pourtant, je cherchais un moyen, je me disais qu'il y en avait sûrement un quelque part, c'était pas possible de rester comme ça, à grelotter de trouille toute la vie... Être libre, heureuse, c'était trop demander à la vie ? Quand, comment, je sortirai de cette prison sans barreaux ? Je trouverai la lumière au bout du tunnel ?

Petit à petit, je me suis calmée. Les tremblements, la chair de poule, le délire dans la tête, se sont estompés. Il n'est pas revenu cette nuit. Après tout, il fallait que je me foute de sa colère, si ça me permettait de lui échapper.

J'ai dormi un peu.

Je me suis levée tard, ce matin. Maman est déjà partie au magasin, ma sœur joue dans sa chambre avec le petit frère, et il est dans la cuisine devant son café.

— Ah ! te voilà enfin ! Mademoiselle fait la grasse matinée...

Ne réponds pas, je me dis. Fais-toi un chocolat chaud, il va se tirer.

— Tu as besoin qu'on te reprenne en main. J'ai été gentil jusqu'ici, mais ça va changer. A partir d'aujourd'hui c'est moi qui commande, vu ? Et tu obéiras aux ordres. J'en ai marre d'être pris pour un con dans cette maison. Puisqu'il faut être sévère, je vais l'être... Vu ? On va voir ce qu'on va voir, je vais reprendre cette maison en main...

Ne réponds pas. C'est à toi que ça s'adresse, pas à la

maison en général. C'est toi la proie facile, ma vieille. Plus question de lui dire d'aller se coucher, c'est la traduction. De toute façon, je vois pas ce que ça change. Il a envie de piquer sa crise, il la pique, point à la ligne. Il décide toujours de ce qu'on doit faire. C'est ça, barre-toi, disparais, que je boive au moins mon chocolat tranquille. De toute façon la journée s'annonce mal. J'ai qu'à aller chez C, boire une bière. J'ai même intérêt à profiter d'un bon moment, c'est rare. Parce que ce soir, il va se venger. Il a pas encaissé que je lui dise d'aller se coucher.

— Nathalie, tu m'emmènes balader avec toi ?
— Lâche-moi un peu...
— Oh ! ça va... Tu t'es engueulée avec papa ?
— C'est ça. Il m'a engueulée.
— Qu'est-ce que t'as fait ?
— Qu'est-ce que tu veux que j'aie fait ? Rien. Comme d'habitude. J'ai rien fait.

La petite sœur qui a un papa. Merde.

J'en ai un, moi, de papa ?

J'aimais ma sœur, je l'aime toujours. Mais c'était la privilégiée. Elle était tranquille, elle. C'est moi qui payais les pots cassés. Plus les jours passaient et plus je devenais désagréable avec ma mère, ma sœur, avec tout le monde. Ma vie était un cauchemar, et j'en faisais profiter les autres, c'était dégueulasse de ma part, mais c'était comme ça. Un peu ma manière de me venger. Or c'était mon père qui devait trinquer, pas eux. J'étais injuste parce que la vie était injuste avec moi. Injuste.

Le soir il est rentré avec un visage tiré, des traits raides, des yeux rouges. Avec sûrement, dans les poumons, cette putain de drogue qu'il avait fumée. J'allais passer un sale quart d'heure, mais j'avais l'habitude maintenant, tellement l'habitude, que l'angoisse était moins forte que les premiers

108

temps. A force de haine et de mépris, ce type était devenu un étranger. Le tortionnaire et sa victime n'étaient plus père et fille. Il ne restait du père que la peur qu'il avait semée en moi. La peur de révéler l'inceste. Je hais même le mot inceste. Il est sale à lui tout seul. C'est tout juste si je reste calme en l'écrivant. Mais je tiendrai bon, puisque j'ai décidé de le gueuler.

J'aimerais qu'on apprenne ça aux enfants à l'école, au lycée, qu'on écrive sur un tableau noir, de temps en temps, une phrase simple du genre : « Si quelqu'un de votre famille, père ou frère, veut toucher à votre corps et à votre sexe, dites-le. » On leur dit bien de faire attention en traversant la rue, merde. Ça devrait commencer dans les petites classes. Si on l'avait fait pour moi, peut-être que j'aurais parlé plus tôt. Peut-être...

Une chose aussi qu'il faut que vous sachiez absolument. C'est l'hypocrisie dont un type comme lui est capable. A la maison, à table, en famille quoi, devant ma mère, devant les autres, il était au-dessus de tout soupçon. J'aurais tellement voulu qu'il se plante, qu'il se fasse prendre un jour à me taper dessus avec sa ceinture. Mais je serais morte de honte sur place si on nous avait découverts en train de faire ce qu'il appelait l'amour.

Et puis ça aussi : si ma mère l'apprenait, elle se suiciderait. Il ne s'est pas servi tout de suite de cet argument pire que les autres, pour une enfant, mais c'était sous-entendu. Comme s'il me l'avait dit. Maman en mourrait.

Alors j'ai fermé ma gueule ce soir-là encore, comme les autres, et les autres à venir. Je m'endurcissais dans la haine et le mépris, mes deux bâtons de vieillesse. Parce qu'on vieillit vite dans mon cas. On grandit vite. On pige vite. L'enfance reste mutilée quelque part, inachevée, perdue à jamais. Les salauds, ils vous tuent dans l'œuf.

Un signe de tête, pour me confirmer que j'ai du travail ce soir. Un regard pour dire que je ne vais pas rigoler. C'est le jeu de la domination pour ce crétin, il aime ça, faire du mal d'un seul signe. Ça doit lui donner l'impression d'être un petit Hitler minable dans son sérail. C'est sa nature. On ne peut pas la changer.

Il ouvre cette porte de bois, claque sur le bureau un paquet de feuilles, pour les factures à établir. Je ne tremble pas ce soir, même s'il ne parle pas et que cela n'augure rien de bon pour moi. Je ne demande rien. De toute façon, il me rembarrera aussi sec. Ce soir, je ne peux pas refuser comme hier, ou alors c'est la raclée royale. J'allume une cigarette et j'attends. J'attends quoi, je sais pas. Qu'il me dise d'aller me coucher, on ne sait jamais. Qu'il me demande pardon, on peut rêver.

C'est le moment d'angoisse : j'ai fini de travailler, et j'attends les ordres. Un rite maintenant. Il me regarde durement :

— Va te mettre en chemise de nuit !

J'obéis. Je garde mon slip. Je supporte pas d'être nue, surtout à cet endroit du corps.

Il sort une couverture d'un placard, la met sur son bureau, éteint les lumières. Je ne pense à rien, je ne dois pas penser. Prends-toi pour une marionnette qui n'a pas de tête, et laisse faire. Insensible, marionnette de bois, de fer, de plomb, de béton.

— Déshabille-toi ! Pourquoi est-ce que tu gardes ton slip ?

J'en ai marre, j'en ai marre...

J'avais beau m'interdire de penser, dans ces moments-là, c'était impossible. Je me disais j'en ai marre, et tout de suite après, « je voudrais disparaître, mourir ». Ce n'était alors que des mots, une réaction, mais cela matérialisait de plus en plus cette idée de la mort, de la disparition, et des moyens d'y parvenir. Le camion, j'avais tenté le coup, comme un toréador. C'était au début ça. Je jouais à mourir au camion, sans me rendre compte que je risquais vraiment la mort. Sans savoir vraiment ce qu'était la mort absolue. La mort que je cherchais sous un camion, c'était l'hôpital, le sauvetage. La punition aussi, peut-être. Allez savoir, je suis pas psy. Mais cette nuit-là en particulier, l'idée de mort prenait une telle ampleur que je commençais à chercher le moyen le plus sûr d'y parvenir. J'y pensais pendant qu'il faisait ses horreurs. Qu'il me couchait nue sur son bureau de ministre. Moi nue, et lui non. Il a ouvert sa braguette, il me caressait, il cherchait son plaisir là où il pouvait, en me demandant si j'aimais ça. Sans arrêt. Je ne répondais pas, je serrais les dents. Alors il ordonnait de le dire, et je pleurais en le murmurant, aussi bas que possible. Mais il fallait le dire plus fort, à haute voix. J'avais envie de vomir comme toujours. C'était devenu une habitude aussi, cette envie de vomir, l'estomac qui se soulève, et en même temps la gorge qui se serre, tellement que rien ne peut sortir. L'envie de vomir reste à l'intérieur. Le super poison. Pendant ce temps, il insistait pour que je répète ses conneries.

J'étais allongée, je bougeais pas d'un pouce, alors il s'est énervé. Il voulait que je bouge... Vous vous rendez compte de ça ? Il voulait que je bouge comme les femmes sur les cassettes porno. Puisque je venais de dire que j'aimais ça, je pouvais bouger.

Non. Je pouvais pas. NON et NON. Il prétendait qu'il m'aimait ce pourri ? J'oublierai jamais.

Il s'est rendu compte que je mens. Je dis que j'aime ça, par peur de prendre une raclée. Je ne bouge pas, parce que je ne peux pas commander à mon corps. Il s'arrête. Il va ouvrir son tiroir, et en sort deux joints. Un signe de tête, je dois regagner ma place. Sans me rhabiller. Je vais m'asseoir, nue et humiliée. Il me tend le joint, l'allume, je dois fumer cette merde. Pour voir des éléphants roses peut-être ?

— Il faut que tu en prennes l'habitude. Ça t'aidera à ressentir du plaisir, et à aimer ce que nous faisons. Je veux que tu y parviennes. C'est mon devoir de père de t'apprendre l'amour et tout ce que tu dois savoir pour être une femme. C'est normal.

J'ai fumé sa merde. J'ai pas vu d'éléphants roses, mais lui, ça l'avait mis en forme. On allait pouvoir continuer. Je me demande s'il croyait vraiment à son intox. C'est pas possible. Il était dingue, malade à enfermer. C'était son « devoir » de détruire ma vie d'enfant, d'adolescente, et de femme ? Je vous dirai ce qu'il m'a fallu de temps, d'effort, et de volonté de survie pour arriver à supporter, plus tard, la présence d'un corps d'homme dans mon lit. Et qu'il me touche. Je vous dirai les cauchemars où je me réveille en hurlant, persuadée que ses mains sont sur moi. Sa peau, son odeur, son souffle. Ça me refout en enfer. Une seule chose compte, il a été le premier, et le seul, à détruire ma vie. Qu'il en crève !

Il a tout recraché comme un malpropre sur moi. Il était heureux, c'était terminé. Le calvaire était fini pour ce soir. Je me suis rhabillée, j'ai récupéré mes clopes, j'avais qu'une envie, me coincer au fond de mon lit, avec mon nounours. Il n'y a que lui qui m'entendait dire : « J'en peux plus. Je suis malheureuse, j'ai mal. Si tu savais nounours... comme je suis malheureuse. »

Il savait que j'étais malheureuse, mais il ne pouvait pas comprendre pourquoi. Même à lui, je n'osais pas dire ce que mon père me faisait subir. J'avais honte devant mon nounours, alors que ce n'était qu'un simple objet. C'est con, de réagir comme ça. J'avais quinze ans, je fumais des joints, je buvais de l'alcool, et je commençais à en connaître un rayon sur les sévices sexuels. Et je parlais à mon nounours, juste pour lui dire que j'étais malheureuse. Vous pouvez comprendre ? J'avais un mur dans la tête, infranchissable. C'était pareil avec les gens, quand ils me demandaient pourquoi ça n'allait pas, pourquoi je travaillais mal, pourquoi j'étais agressive, méchante, infernale. Pourquoi,

pourquoi, pourquoi ?... parce que. Parce que mes parents s'entendent mal. Parce que mon petit copain m'a larguée. Parce que j'ai mal à la tête. Et puis, parce que... Ça vous regarde ?

Mon nounours au moins, il me consolait. Je pouvais aussi taper dans l'oreiller, et le mordre, pour me défouler. Allumer une bougie pour respirer une petite flamme d'espoir. Des fois, j'entrais dans l'église, pour prier, essayer en tout cas. Il y avait plein de bougies, des cierges de toutes les tailles, des tas de lueurs d'espoir. Comme dans les concerts : quand on aime, on allume son briquet pour communier avec les petites flammes. J'avais aussi la bière, le café, les clopes. Je pouvais faire le compte des petits clous auxquels je pouvais me raccrocher.

Et, tout à coup, je venais d'y penser, je n'avais pas mes règles. Merde, c'était quand la dernière fois ? Ça aurait dû venir. Je me rappelais plus des dates. Et si j'étais enceinte ? C'était impossible ça. Non. Pas ça. Il m'avait juré qu'il faisait toujours attention. Mais ça voulait dire quoi exactement faire attention ? Quand est-ce qu'il l'avait dit ? Au début je crois. Mais est-ce que je pouvais lui faire confiance ? A quel moment ça commençait, le truc de faire attention ou pas. J'en savais pas grand-chose. Il disait, tout fier ce con, qu'il pouvait se retenir. Mais il me salissait quand même, partout.

Vous me faites chier à me demander pourquoi je ne prenais pas la pilule, vous tous qui me l'avez demandé. Est-ce qu'on prend la pilule à quatorze ans ? J'aurais pu aussi la demander en cadeau d'anniversaire pour mes quinze ans qui approchaient, pourquoi pas ! Dans une jolie boîte avec un ruban autour ?

Personne ne m'avait parlé de la pilule. Les copines, oui, comme ça, pour faire les marioles. Mais à la maison, pas question d'en parler. J'allais dire quoi à ma mère ? Maman je couche avec un garçon, je veux la pilule.

J'aurais peut-être dû la demander à mon père ? C'est ça. « Papa, je voudrais la pilule. » Plutôt crever que d'installer la moindre complicité entre ce salaud et moi. En plus, avec la pilule, il aurait été tranquille... il aurait doublé les performances.

Mais je n'avais pas mes règles, et j'étais terrifiée à l'idée d'être enceinte. De porter l'enfant de mon père. Quelle horreur. Ça m'était venu à l'esprit tout d'un coup sans prévenir. Une peur de plus. Je commençais à me dire : « Pourvu que ça vienne, il faut que ça vienne, tu vas venir espèce de sang à la noix. » Une semaine avait passé, et toujours rien. Comment lui dire en plus ? J'étais obsédée. Je regardais mon ventre, j'inspectais mon linge tous les jours. Un enfant, jamais. A mon âge, de mon père, merde, plutôt me tuer. Je pouvais pas garder un enfant de ce pourri dans mon ventre ! J'attendais la première goutte de ce sang comme une bénédiction, un pardon du ciel.

Je me souviens la première fois. Quand j'étais encore enfant. Je croyais qu'avoir ses règles c'était un bonheur. Cela signifiait qu'on était une petite femme. Et quand c'était arrivé, j'étais si fière. Et le salaud aussi était fier. Tout juste si j'avais pas eu droit à des félicitations, et à un cadeau de bienvenue dans le monde des adultes.

Et aujourd'hui, le bon Dieu m'abandonnait. Il allait me laisser sur les bras le fruit de l'enfer et du péché. Le fruit de mon père.

Le fruit du péché... C'est conventionnel, hein ? Ça fait roman photo... feuilleton imbécile à la télé. Mais quand ça vous arrive, on l'appelle comment ? Péché, c'est le moins qu'on puisse dire.

Je me disais : du calme, chérie, c'est un retard. Juste un retard. Plus tu t'énerves, et moins ça viendra. Reste calme. T'as pu te tromper en comptant les jours. Tu marques pas les jours, c'est bien fait. Dès que ça viendra, tu marqueras. Il ne faut plus de piège comme ça. Il faut savoir. C'est trop insupportable d'attendre. D'avoir ça en plus, sans rien pouvoir dire à personne, une fois de plus. J'essayais de gérer la trouille... Tu parles. J'ai finalement décidé de lui dire. Je me suis assise en face de lui, le soir du huitième jour de retard. J'ai commencé à parler de je ne sais plus quoi, un truc banal, en fumant une cigarette. Je cherchais comment commencer ma phrase. Je faisais la calme. Je l'étais pas tellement. Mais c'est drôle, je n'avais plus peur de lui finalement, à croire que je détenais la meilleure carte. Un joker et un bon. Qui pesait lourd. Je venais de me rendre compte que j'allais lui flanquer la trouille à lui aussi. C'était presque bon.

— Papa, regarde-moi. J'ai quelque chose de très important à te dire.

— Ah oui ?

Je vois bien qu'il a compris que c'est sérieux. Il allume sa gauloise, mais je le fais languir un peu. Là, je peux le regarder dans les yeux. Je veux le voir se démolir. Pas de cadeau. Qu'il souffre autant que moi, si c'est possible.

— Je n'ai pas eu mes règles.

— Comment ça ? Tu t'es sûrement trompée.

— Non, je me suis pas trompée. Je peux te montrer sur le calendrier, ça fait huit jours de retard. Huit jours exactement aujourd'hui.

— Fais voir.

Je lui montre les dates. En insistant lourdement. Il n'y comprend pas grand-chose, j'en ai rien à foutre. C'est comme ça.

— C'est comme ça. Qu'est-ce que tu vas faire ?

— Ta gueule. Laisse-moi réfléchir en paix.

— J'en veux pas. Il faut que tu prennes une décision.

Il a peur.

— Y'a un moyen d'être sûr. On fait des tests dans ces cas-là.

— Et si je suis enceinte ?

— Il y a l'avortement.

— Comment ça se passe ? Qu'est-ce que tu vas dire à maman ?

— Il suffit de l'accord de l'un des parents pour avorter.

Et puis je peux t'envoyer en Angleterre. Ça se fait comme une lettre à la poste là-bas.

— Et maman ?

Ça l'emmerde que je parle de maman. Il trouille de plus en plus. Je me demande comment il va s'en sortir avec maman.

— Il faut trouver une explication qui me mette à l'écart. Pour toi, ce n'est pas trop grave. Ta mère fera un peu la gueule, mais elle te pardonnera. Une mère ça pardonne toujours ce genre de choses à sa fille.

— Et moi ? Je compte pas là-dedans ? C'est moi qui vais raconter à maman... et lui raconter quoi ? C'est qui qui m'a fait ça ? Il va falloir que j'invente un mec ? Elle voudra tout savoir, les détails. Toi, tu t'en fous... Tu veux rester en dehors, c'est super ton système. Mais moi ?

— Je te dis que ta mère comprendra.

On se regarde. Elle comprendra quoi, maman ? Comment il va se blanchir ? Il a vraiment peur. Il balise à mort. J'ai la frousse aussi. La panique maintenant. Son mélo, comme quoi je vais raconter des salades à ma mère, qui gueulera un peu et me pardonnera, c'est bien joli, mais c'est moi qui paie. Moi. Toujours moi. Pas lui. Il cherche une idée pour s'en sortir. Je vois bien qu'il l'a trouvée. Ce sourire...

— A quoi tu penses ? Qu'est-ce qu'il y a ?

— D'abord il faut faire un test. Tu n'es sûre de rien. On va attendre encore une semaine.

— D'accord et après ?

— Si tu es enceinte, il faut trouver un père. Tu n'as qu'à en chercher un.

— Chercher un mec ? moi ?

— Oui, toi. Il faut que tu couches avec quelqu'un.

— Quelqu'un ? Qui ça ?

— Mais j'en sais rien, moi, t'as qu'à te débrouiller dans ton bar, n'importe qui.

— Tu veux que j'aille chez C. Et que je couche avec le premier mec qui me tombera sous la main ?

116

— Tu vois une autre solution ? Il faut même que tu fasses vite, pour le trouver. Au cas où. C'est ça, la solution. Après, tu pourras raconter la vérité à ta mère. T'auras couché avec un type, t'es enceinte, avortement, t'auras même pas besoin de mentir...

Je suis allée me coucher sous le choc. Moi, accepter l'idée d'aller coucher avec un mec pour protéger ce salaud de père. N'importe qui. J'avais qu'à aller au bar, chez C, choisir le faux père, lui faire du gringue, me faire sauter, et ce salaud était à l'abri. J'ai pas pu l'encaisser de toute la nuit. Je lui avais pourtant fichu la trouille. Il s'en sortait toujours. Lui, avant les autres. Et c'était un ordre, s'il vous plaît. Il fallait véritablement que j'y aille. A la pêche au faux père. Je sais pas si vous vous rendez compte. Je crois pas. Écoutez-moi : je dois coucher avec un type que je connais à peine, ou pas du tout, pour blanchir mon paternel. Je dois. C'est de la prostitution, tout simplement. Je ne suis pas une putain. J'ai rien contre les putains, mais j'en suis pas une. Je suis pas comme ça. Et lui il décide ça. Et personne n'est là pour l'en empêcher une seule seconde. J'en veux au monde entier de ne pas être là. Toute la nuit je me suis dit NON, et NON. Et NON ! Et le lendemain j'étais devant la grande porte de chez C. sur laquelle le patron faisait dessiner des tas de belles choses. Des paysages, des arbres, des fleurs, des bateaux... Pas seulement à Noël et au Jour de l'An ou à Pâques, mais tout le temps.

Je regardais à travers cette grande porte vitrée. Impossible d'entrer. Pas envie de boire un coup. Je regardais les hommes, les garçons, de loin, en faisant gaffe que personne ne m'aperçoive. Est-ce que je pouvais vraiment choisir un de ces types, comme ça ? Coucher avec l'un d'eux ? Je passais sur les visages, je voyais trouble. Je ne saurais pas dire exactement combien de temps cela a duré : quelques minutes seulement. J'étais là, à regarder à travers les bouquets de fleurs peints sur la vitre. Je sais plus combien il y

avait de types à l'intérieur. Peu importe. J'en voyais mille...
C'était impossible. Je ne pouvais pas le faire. Je ne le ferais
pas. J'avais pris ma décision d'un coup, comme on éternue.
Tant pis s'il me battait. Je lui dirais que je ne voulais pas.
Et puis après tout, c'était peut-être vraiment un retard. Un
simple retard. Qu'il aille se faire foutre s'il a peur.

Je devais encore l'appeler papa. Lui obéir, le considérer
comme le chef de la famille, ce pourri. De moi, il n'aurait
pas ça. C'était pas mal non plus de voir la peur dans ses
yeux quand il me croisait dans la maison. Moi, je me fermais. Impossible de savoir. La certitude, il allait l'attendre,
se ronger, en crever plus que moi.

Je rêve. Chaque nuit je rêve que je prends un couteau
dans les mains, que j'avance doucement sans faire de
bruit : je m'approche, je lève mon bras, je regarde une dernière fois cette lame vierge, et j'espère qu'elle va le crever.
C'est un très joli rêve, mais il se termine toujours mal. En
fait, mon père ne dort pas vraiment, et je n'arrive jamais à
le tuer. Jamais. Je voudrais que la mort se charge de lui
régler son compte, puisque je n'y parviens pas. Puisque la
lame reste vierge.

Fin du rêve. Si je n'arrive pas à le tuer, même en rêve,
comment je vais faire dans le cauchemar de tous les jours ?

— Tu te trouves un mec, tu couches, et après ça on est
sauvés.

« On ». Lui, pas moi.

Il n'y aura pas de mecs. Je rentre dans le bar, mais pour
y boire un coup. Il faut que je rigole un peu. Il faut aussi
que je trouve une diversion, pour le foutre en rogne, et qu'il
oublie cette histoire de type et de bar. Je vais lui faire une
surprise. Je vais entrer dans ce beau magasin, je vais faire
semblant de choisir une carte postale, je la paierai, et je
volerai en même temps un tas de stylos. Des beaux avec
des plumes en or. Plein de stylos. Il se foutra en rogne. Je
vais lui ramener une tonne de stylos volés. La colère de sa
vie. Il me renverra chez mamie en Belgique. J'y crois pas
vraiment. J'ai la poisse. Ça ne marchera pas. Il a déjà pas

marché à la cigarette, au maquillage, à l'alcool, mais tant pis je vole. Ça me défoule. La Belgique, c'est mon rêve. Les rêves se réalisent pas avec moi.

Mais tant pis, on va rire. Dès qu'il rentre du boulot, il commence à gueuler parce que la bouffe est pas prête, ou pas assez bien pour lui Monsieur le PPPPPDDDGGGG de merde qu'il est. Il me fout les boules, je vais lui mettre du piment dans sa sauce, avec mes stylos. Je veux voir sa gueule.

— Tâche de pas te faire attraper !

C'est tout ce qu'il a dit en voyant mes beaux stylos, le coffret et toute la parure volée dans la boutique, avec les plumes en or.

Il venait juste de s'asseoir à son bureau, et je lui avais mis sous le nez. Il a d'abord eu l'air un peu consterné puis étonné de voir tout ça. Il a demandé d'où ça venait, j'ai répondu, comme une fille franche, sans aucun remords, calme :

— J'ai tout volé.

J'avais une trouille d'enfer. La minute d'avant il était en rogne, il avait encore gueulé. Il a bien regardé. Et il a dit :« Ne te fais pas prendre. »

J'étais sciée. Ce soi-disant moraliste se fichait de tout maintenant. Je pouvais voler, tuer peut-être, il trou-

121

verait un truc à dire du genre : « Efface bien les empreintes. »

Il avait drôlement changé. Au panier, ses principes. Il s'en foutait carrément, et moi j'étais paumée une fois de plus. Je cherchais la bagarre, le conflit, l'affrontement en grand, pour m'en sortir. Me faire expulser de cette maison. Et il démolissait une à une toutes les petites barrières que j'essayais de mettre entre lui et moi. Chapeau le mec ! je me disais. Il est fort, super intelligent : je pose une carte, il prend le paquet. Pas une engueulade, pas une seule gifle, même pas de réprobation sur son visage, derrière ses carreaux métalliques, dans ses yeux sales.

Allongée sur mon lit, je regardais le plafond blanc, les volets que je ne fermais pas de peur de rester prisonnière. C'est bête, mais la seule idée de les fermer et de me retrouver dans le noir, me paniquait. Dans le noir il pouvait venir me surprendre.

Je regardais les étoiles, le ciel, en qui je n'avais plus confiance. Elles étaient formidables les étoiles, belles, et si lumineuses que je rêvais quand même d'une vie meilleure. Mon père disparaissait, je ne sais comment, et la vie devenait extraordinaire. Mais ça ne durait pas longtemps. L'espoir se désintégrait au fond de moi et le désespoir revenait, ce con de désespoir qui ronge, ronge et ronge encore jusqu'à la mort.

Le ciel avait sa couleur noire, sinistre. Il devait bien se cacher par là ce bon Dieu qui se foutait complètement des merdeuses dans mon genre, des petites connes inscrites sur des cons de registres oubliés. j'avais l'impression que votre Dieu, celui que vous m'aviez mis dans la tête, vous les « parents », les adultes, n'aidait que les personnes qui lui rapportaient quelque chose. Moi je n'étais rien, je ne pouvais rien apporter. Je n'étais que Nath, une gamine battue et violée par son père.

Alors les étoiles pouvaient bien briller, le ciel restait noir et sinistre.

Un couteau, une lame qui brille. Fascinée, je ne

me lasse pas de regarder ce bout de fer bien aiguisé, bien brillant.

Je suis derrière mon comptoir, au rayon fromage et charcuterie. J'aide maman. Je nettoie. J'aime nettoyer. Je passe une heure à laver les couteaux avec un seau et une éponge.

Je veux faire briller ces lames le plus possible. Je les trempe dans l'eau chaude, et puis je les essuie avec précaution. Un couteau, c'est l'objet le plus beau et le plus attachant de la terre. Je suis une passionnée de couteaux. Le plus précieux pour moi, c'est le plus grand du magasin. Je le fais briller comme un bijou. Je n'arrive pas à le lâcher. Je le nettoie la pointe en haut. Ça lui donne un maximum de puissance. La beauté de cette lame pointée vers l'infini... C'est la virginité pure, la beauté pure.

Avec les couteaux, j'avais l'impression d'oublier tous mes problèmes, d'être dans un univers de charme et de gentillesse, un conte de fées aux couteaux. Bien, heureuse, l'esprit vide. Je n'aurais pas accepté que l'on vienne gâcher cet instant de bonheur. Si l'on me dérangeait, c'était fini. En un éclair, je voyais défiler devant mes yeux des images de mon père et de moi à l'infini. Le noir revenait et c'était atroce. Je n'étais plus une victime, mais une coupable. Je me dégoûtais d'avoir accepté de faire ce qu'il voulait. Je savais qu'il m'avait forcée, mais ça ne suffisait pas. J'étais coupable. Il montait en moi comme des bouffées de chaleur, j'implosais.

Tout se transformait. Tout, autour de moi, était différent, les gens étaient bizarres, ils voulaient tous m'agresser, je me sentais opprimée de tous les côtés. Je n'arrivais plus à penser, je ne pouvais que fuir ou me battre. Fuir pour aller où ? J'avais l'impression que ces putains d'images iraient plus vite que moi, que les gens ne me lâcheraient pas aussi facilement. Je voulais fuir des images et des gens qui n'existaient pas.

A ce moment-là, je perdais la raison devant la lame de

mon couteau. Et puis l'émotion s'en allait, et la colère m'envahissait. Si j'étais folle, j'allais gagner cette guerre. En quelques secondes, je retournais le couteau. Il n'avait plus la pointe en haut, ce n'était plus un bel objet, c'était une arme. J'en avais besoin, ça me faisait chaud au cœur de serrer dans mes mains ce manche en bois foncé, comme si je m'apprêtais en silence à tuer quelqu'un. Ce n'était pas une supposition dans ma tête, c'était une réalité. Je voulais tuer toutes les images qui me faisaient du mal. Je voulais le tuer lui, ce père indigne de s'appeler père, ou homme, ou humain, ou même animal. Avec ce couteau, je voulais le faire souffrir de près, comme il m'avait fait souffrir. Je serrais de plus en plus fort le manche, la lame vers le bas, pour ne pas le rater et, d'un coup sec, je frappais quelque chose. Je voyais du rouge briller sur le sol, j'étais sauvée, je l'avais tué...

Et la réalité me revenait en pleine poire. Le couteau était bien planté quelque part, mais c'était dans une planche de bois qui servait à couper le gruyère. Ma tête me jouait des tours. C'était raté.

Mais mon envie de tuer cet homme était bien plus grande que la peine, la haine, la pitié, la colère, et même la joie. C'était quelque chose de spécial. Je croyais vraiment qu'avec ce couteau dans les mains, j'étais un peu plus en sûreté, un peu seulement, et que pour l'être absolument, il fallait que je le tue. Je devais faire justice moi-même, sinon j'étais condamnée à mon tour. J'avais le devoir de le tuer. Si j'avais échoué aujourd'hui, ce n'était que partie remise. J'avais une espèce de pluie dans les yeux. Du désespoir, de la souffrance d'avoir raté. Alors je reprenais le couteau, en replaçant la lame vers le haut. Cette lame n'avait pas tué mon père mais elle restait mon amie. Un jour, elle me soulagerait de cette souffrance. Un jour, elle me ferait revivre.

Depuis le jour où il avait osé me mettre sur cette conne de machine à laver, je savais qu'il allait crever.

Tant de fois, je l'ai supplié de me laisser tranquille, d'arrêter. De ne pas me faire mal. Il ne répondait pas, il ignorait mes paroles, peut-être pour garder bonne conscience, le salaud. Alors je voulais qu'un jour il se traîne à mes pieds en me suppliant d'arrêter, qu'il rampe, comme une larve, en souffrant. Je voulais sentir sa douleur quand j'arriverais à planter cette lame dans son ventre. Il fallait qu'il hurle, qu'il pleure, qu'il mendie, pour que je sois vraiment heureuse.

Et j'étais là comme une conne, derrière le comptoir des fromages à attendre le client. On devait me prendre pour une folle, quand j'essayais de tuer quelqu'un ou quelque chose qui n'existait pas.

Alors je rangeais les couteaux et les fromages dans la chambre froide, et je m'en allais les mains nues. Pour boire un coup. Seule. Dans ma tête, je voyais des couteaux, mon père, du sang. Tout se brouillait, je ne comprenais plus rien.

Je revenais à la réalité. J'attendais. Pas grand-chose. Que quelqu'un vienne me dire : « Je sais ce que tu as, on va te sortir de là. » Sans que je parle, sans que j'aie besoin de raconter parce que je n'aurais pas pu. Même si on me l'avait demandé cent et cent fois.

Mais les gens se planquaient derrière leur quotidien. Des lâches. Ils ne voulaient pas se laisser envahir par les problèmes des autres. Ils ne venaient pas.

Pourtant, ils n'aiment pas voir la souffrance, les gens. Ça les dérange de voir des gamins pleurer, de misère, de faim ou de coups. Quand ils regardent la télé, ça les indigne tous ces enfants abandonnés, maltraités, brûlés, battus, violés, assassinés. Alors pourquoi ne font-ils rien ? Pourquoi ? J'aimerais le hurler ce pourquoi dans leur cervelle de moineaux, j'aimerais entendre leurs explications. C'est si difficile de penser à des bras de cinq ans ? A un cœur de huit ans ? A des yeux de douze ans ? A tous ces gosses qui crèvent à longueur de journée, parce que des cons comme vous ne se bougent pas le cul ? A moi, qui avalais bière sur bière dans ce bar, comme une alcoolique, sans rien demander à personne, jusqu'au moment où la bière noyait toutes les saloperies de ce putain de père.

Je parle mal hein ? Je vous parle mal surtout. C'est pour que vous compreniez. Les gros mots et les insultes vous frappent de plein fouet. Tant mieux, c'est peut-être que vous écoutez enfin le silence des autres.

Lundi matin, je rentre au bahut. Flo me tape dans le dos :

— T'en fais une tronche ! Qu'est-ce que t'as foutu dimanche ?

— Rien.

Rien. Il m'a fait chier tout le week-end. J'ai dû encore faire tout ce qu'il voulait. Il m'a frappée parce que je ne ressens rien. Il m'a droguée, pour « me faire réaliser que j'avais tort de ne pas l'aimer ». J'ai la tête comme un camion. Une sale gueule, j'ai eu beau me frotter la figure au gant de crin, je me sens toujours sale, le cheveu plat.

— J'ai rien fait de spécial, je me suis fait chier, c'est tout.

— Pourquoi t'es pas venue me voir ?

127

Flo, c'est la sagesse, la propreté, la gentillesse. La seule qui fasse attention à moi et à mes conneries.

— Tu devrais pas te ronger comme ça pour un type. C'est qui au fait?

— Tu le connais pas, de toute façon, il s'est tiré.

— Raison de plus. Raconte, ça te fera du bien.

— Aucun intérêt.

— Ben quoi, t'as pas confiance en moi? J'irai pas le crier sur les toits, c'est juste pour en parler.

— Pas la peine, je te dis qu'il s'est tiré.

Je vais pas lui raconter mes horreurs. Je tiens trop à elle. Elle ne me regarderait plus comme avant. Et puis aujourd'hui tout me gonfle. Je supporte plus cette classe, les profs, les élèves, et moi pareil. Je comprends rien à ce que je recopie au tableau. Je lève la main :

— Qu'est-ce qu'il y a Nathalie?

— Besoin de sortir.

— Vous êtes malade?

Merde, y a pas besoin d'être malade pour prendre l'air.

— J'ai besoin d'aller aux toilettes.

Les chiottes. C'est le seul endroit ici où on peut chialer peinard, pendant que les autres sont en classe. Je m'assieds par terre et je pleure le plus que je peux. J'en peux plus.

— Qu'est-ce qui vous arrive, Nathalie?

Le surveillant. Merde. Qu'est-ce qu'il veut? Jouer au psy? Tous les matins il me taxe mes clopes pour les fumer dans son coin. C'est quand même pas à ce mec que je vais raconter ce qui va pas! Il veut m'aider mais c'est pas comme ça qu'il y arrivera.

— Allez venez. Sortez de là... Allez...

Il veut parler dans son bureau. Encore. J'en ai ras le bol de répondre aux questions nulles.

— Bon. Alors ça ne va pas?

— J'ai pas envie d'en parler. Y'a rien.

— Je suis là pour vous aider... voyons. On ne pleure pas comme une madeleine dans les toilettes de bon matin.

— On fait ce qu'on peut.

— Ça ne va pas chez vous, c'est ça ?

— Mais non, c'est pas ça, et ça regarde personne.

— Essayez d'être un peu moins agressive. Détendez-vous. On peut en parler entre nous. Si je peux faire quelque chose...

Tu peux rien, connard. Tu joues les psy sans en être un. Je peux te raconter n'importe quoi, tu classeras le dossier avec une étiquette « Crise d'ado ». Tu croiras avoir fait ton boulot après ça. Devine tout seul si tu veux savoir. Je vois ta gueule si j'accuse mon honorable père, si travailleur. Tu vas me prendre pour une obsédée sexuelle. Une dingue, une menteuse, ou je ne sais quoi. Qu'est-ce que tu veux à la fin ? Je peux pas te montrer les traces de coups sur les seins ! Parce qu'il ne frappe que là. Pour que ça se voie pas. Jamais sur les bras ou les jambes. Y'a que les seins qui lui plaisent.

— Nathalie... il y a vraiment un problème cette année... les notes sont épouvantables. Vous ne suivez pas en classe. Vous dormez la plupart du temps. Il faudra qu'on en parle avec vos parents.

Mes parents. Tu parles d'un couple. Elle arrête pas de bosser du matin au soir, à se crever les reins. Elle en peut plus des clients bourrés qui viennent acheter du pinard, à la fermeture, parce que y a rien dans ce bled. Lui, il est toujours fourré en ville à faire ses magouilles. Que ma mère se casse le cul, il en a rien à secouer. C'est son magasin à elle, pas le sien. Elle l'a voulu, elle l'a eu ! Plus elle se crève, plus elle dort tôt, plus elle prend de médicaments. Ça l'arrange plutôt ce cirque. Mes notes il en a rien à foutre non plus. Il ne s'est même pas aperçu que je suis devenue la dernière de la classe depuis le jour où il m'a violée. Avant j'étais première. Maintenant je suis dernière. J'y suis bien en plus. Je m'habitue aussi au champagne et au shit. Je supporte la ceinture. Ça va pas si mal. Hein, psycho à la manque !

— C'est une histoire personnelle. Un garçon, je veux pas en parler.

— Comme vous voudrez... Retournez en classe.

Dix heures. J'ai Flo sur le poil maintenant.

— Ben alors, t'étais chez le dirlo ? Raconte.

— Des conneries comme d'habitude. Pourquoi je fous rien ? Pourquoi je fais la gueule ? Et mes parents, et le reste...

— Qu'est-ce que tu lui as raconté ?

— Ben rien. À question conne, réponse conne. T'as un clope ?

— Non et toi ?

— On me les a bloqués à l'entrée. Une vraie prison ici !

Il faut que je rentre. Prison, et encore prison. J'en sortirai jamais.

— Salut Flo.

— Passe me voir à la maison.

Même Flo j'ai pas envie. Je suis mieux toute seule. Et pourtant je traîne pour ne pas rentrer tout de suite. Maman derrière sa caisse. Pas le magasin non plus. Si. Le magasin. J'ai besoin de fric pour racheter des clopes et me payer une bière.

Je me trimbale un moment dans les rayons. Trichloréthylène : je connais une fille qui se dope à ce produit. Personne le sait chez elle. Elle perd ses cheveux. Elle dégueule tout le temps. Ses vieux s'en aperçoivent même pas. Personne voit rien de rien. Elle se démolit la santé, cette conne ! En plus, c'est pour rien. Son père peut pas la violer, il s'est taillé. Elle a de la veine.

— Qu'est-ce que tu cherches ?

— Rien maman. Je peux prendre dix balles pour un cahier ?

— Marque-les, mes comptes sont jamais justes.

Je prends cinquante balles. Trois pièces de dix et un billet de vingt. Trois bières et un paquet de clopes. C'est cher la vie.

— Occupe-toi de ton frère cet après-midi.

— D'accord...

— Nathalie, pas sur ce ton, c'est tout de même normal que je te demande ça, tu n'as pas cours cet après-midi...

130

— D'accord ! j'ai dit d'accord, on va pas en faire un fromage.

Elle me regarde sans comprendre. Elle peut rien comprendre. Elle dort la nuit, elle. Tout le temps malade, tout le temps crevée. Je sais, c'est pas de sa faute. Mais je m'en fous. Je m'en fous. Si ça continue je me démolis.

— Allô, ma chérie ? C'est papa...

Cette manie du téléphone. Il est assis dessus ou quoi ? Il arrête pas de téléphoner.

— Tout va bien à la maison ?

— Ben oui. Tout va bien.

— Bon. Ce soir on fait la fête. Alors tu restes, et tu m'attends.

Je suis nulle. J'aurais dû inventer n'importe quoi au lieu de répondre bêtement d'une voix normale. La fête... Tu parles. Je suis bloquée. Il va falloir attendre devant la télé, que ce connard rentre, râle, discute de trucs dont je me fous complètement. Après ça, au grenier la gamine ! Fais les factures, laisse-le fumer son joint, et après la fête. Il appelle ça la fête ! Les yeux complètement glauques il dit qu'il a les idées claires.

Minuit. J'ai fini. Il sort une bouteille de champagne. Je fais semblant de partir, je prends un regard féroce. Je me rassois. J'ai droit au complet ce soir. Champagne et joints. J'en peux plus de fatigue. Tout ça c'est pour me rendre docile.

Je connais le plan par cœur, les mots, les gestes. Il va bander, me frapper, coucher avec moi. Pas avec moi, avec une garce qui n'est pas moi. Il va demander si elle aime ça, la garce. Elle répondra rien. Après il va éjaculer, et je pourrai aller dormir. Filer, disparaître dans ma chambre après avoir subi tout ce que veut ce gros dégueulasse. Sans même avoir le courage de lui cracher en pleine gueule ce que je

131

pense de lui. Après ça, je mettrai une heure à m'endormir, à revoir toutes ces images pourries. Il y en a tant et tant. J'ai un album dans la tête. Je deviens dingue.

En ce moment aussi, je redeviens dingue. En écrivant tout ça, en remontant minutieusement la chronologie de mon enfer personnel qui a duré des nuits, des mois, des saisons. Cette semaine je n'ai pas pu écrire une ligne. J'ai réfléchi à ce qui précède. C'est clair, je m'habituais. A la ceinture et au reste. Aux mots aussi. Quand j'écris « Mon père éjacule et je vais me coucher », ce raccourci montre bien l'esclave que j'étais devenue à ce moment-là. Enfance éclatée, adolescence à la poubelle, le processus de nazification était commencé. J'emploie des mots savants, aujour-d'hui, pour tenter d'expliquer. La maison, le soir, était un camp de concentration, j'y étais la seule internée, les barbe-lés de la nuit m'entouraient, j'attendais la torture, toute seule dans la maison endormie. Puis le tortionnaire arrivait et je le suivais sans révolte apparente. Il me droguait, me frappait, me violait, il éjaculait et j'allais me coucher. C'est ça un inceste. C'est ça, le type qui prétendait être mon père. En ce moment, je vois passer des messages à la télé-vision, pudiques et terribles, sur les enfants battus, maltrai-tés ou violés. Il est écrit : « Silence on crie. » Vous voulez que je vous dise ? Les visages de ces enfants sont trop beaux, trop propres, les yeux sont trop impressionnants de désespoir.

Je ne me revois pas comme ça. Je me revois abrutie, l'œil vague, le cerveau ramolli, sale, mal peignée, un goût de bière dans la bouche, et de cigarette sur les dents. Il me semble que je n'ai attendri personne. Ça ne se voyait pas que je criais dans le silence. Et pourtant je hurlais. Je hur-lais en me barbouillant les yeux de noir, et la bouche de rouge à lèvres, en enfilant des vêtements l'un sur l'autre pour dormir. En volant n'importe quoi, en mentant à tout le monde sur tout. A force de hurler, un soir, je n'avais plus de voix dans le silence. Il n'y avait plus que ce silence, j'étais le silence. Et j'ai voulu mourir un samedi soir, comme on va danser.

On s'engueule. Pour une connerie.

— Si c'est comme ça, tu ne sors pas ce soir, je t'emmène chez ta cousine.

— J'ai promis aux copains de les rejoindre au bal.

— Pas de bal. Je prends une douche et on s'en va. Puisque tu veux tellement sortir, je vais te sortir.

— J'ai pas envie de voir ma cousine.

— Ah bon! c'est nouveau ça? Elle a ton âge et la famille c'est important. De toute façon, tu n'as pas à discuter.

Il va se doucher. Je vais dans la chambre de ma mère, je sais où sont les cachets. Des tas de cachets, pour dormir, pour tranquilliser. Je prends la première boîte venue et j'avale. Ces saloperies vont bien me mettre HS. J'avale, vite, pour ne pas me faire surprendre. Ça passe mal, à la file. Une dizaine peut-être, ça devrait suffire, de toute manière la boîte est vide maintenant, j'en laisse deux au fond, pour l'alibi.

J'espère tomber dans un coma profond. Le truc dont on ne sort jamais. Je sens les cachets descendre péniblement dans l'œsophage. J'ai le hoquet. J'aurais dû boire de l'eau, mais il est trop tard. Il est prêt. On va partir, et rien ne se passe. Sur le palier, j'espère encore. Ça va peut-être venir d'un coup. Je vais tomber par terre avant de franchir cette porte. Toujours rien. Pas d'effet. Je suis bête, il faut le temps que ça arrive dans l'estomac, que ça se mélange.

— Alors, tu viens?

Il met le moteur en route et fait chauffer la Mercedes. J'ai le gosier raide comme un manche à balai. Sur la route, toujours rien de rien. Je m'accroche au siège des deux mains, en attendant la chute. Sans le regarder je vois son profil, le front fuyant, le nez mince comme un oiseau,

pointu, et les lunettes cerclées de métal, perchées dessus. Il
va voir quand je vais tomber. Il va voir quand je vais mourir. Il va voir le salaud. Ça va lui faire les pieds.

Sur l'autoroute, un vertige, puis l'estomac comme une
pierre qui se tortille. Je me sens mal... très mal, j'ai envie de
vomir, mais je ne sens pas venir la mort. La mort, ça
devrait venir, il me semble, dans tout le corps à la fois. Et le
corps doit devenir faible, léger, et s'évanouir dans l'espace.
Il ne faut pas que je vomisse maintenant, je dois mourir
avant de vomir. Ça ne va pas tarder. La nausée monte,
monte, je transpire, je change de couleur, je me sens vraiment changer de couleur, blanche, puis verte... Les cachets
remontent, mon estomac vient avec.

— Arrête, je vais vomir.
— Qu'est-ce qui te prend ?
— Arrête la voiture, je vais dégueuler...

Je tombe à genoux sur le gravier du bas-côté, je n'entends pas ce qu'il dit, dans le bruit infernal des vomisse-
ments qui me secouent. Tout s'en va. La mort s'en va avec
ces saloperies de cachets. Je vais pas mourir.

Il y a une bouillie infâme sur une touffe d'herbe, devant
moi.

— Tu as mangé quelque chose ?
— Sais pas, faut croire.
— Tu pourrais m'expliquer...
— Tu vois pas que j'ai mal au cœur ? Qu'est-ce que tu
veux que je t'explique. J'en sais rien moi, si j'ai mangé un
truc pourri.

— Je n'aime pas le ton que tu prends en ce moment.

Va te faire voir. Roule, tu feras pas le malin longtemps,
je recommencerai. J'ai dû prendre des cachets de merde,
bons à rien. Mais j'y arriverai.

La famille. La cousine. Ses sœurs, les lumières. Si je
pouvais me coucher et dormir.

— Bonjour, tonton...

Cette grosse dinde est presque jalouse de moi. Elle a pas
connu son père. Je lui laisserais bien le mien, tout compte

134

fait. T'as pas de père ? Tiens voilà le mien, tu seras pas volée. J'ai des haut-le-cœur.

— Nathalie a été un peu malade sur l'autoroute.

— Mon Dieu, c'est vrai, tu es toute pâle. Tu veux un coca ?

Je veux qu'on me fiche la paix, je veux mon lit. Ça fait trois ans que je veux mon lit.

— Eh bien, réponds à ta cousine.

— Ça ira, je vais boire un verre d'eau.

J'ai l'estomac brûlant, et l'eau fraîche me fait l'effet d'un énorme glaçon dans une bouilloire. Je suis seule dans la cuisine quelques minutes, à fixer bêtement le robinet, j'attends que le glaçon fonde. C'est dur de trimbaler un corps pourri. Qu'est-ce que j'ai dans le ventre ? J'en sais rien. Est-ce que je suis enceinte ou pas ? Tiens si je lui flanquais encore un peu la trouille, avec ça.

— Ça va mieux ?

— C'est pas terrible. J'ai des nausées.

Même pas. Il y pense pas. Il s'en fiche. Eh ben, moi aussi. D'abord je suis pas enceinte. C'est pas possible. Si je l'étais, j'aurais dégueulé le truc avec les cachets. Et puis j'ai mal au ventre. Ça va venir, sûrement. Il s'en fout tellement qu'il m'a même pas demandé si j'avais trouvé un type pour coucher avec. Il attend peut-être que je lui raconte.

— On rentre.

Pourquoi il m'a traînée jusqu'ici un samedi soir, pour se faire un alibi ? Le genre papa qui amène fifille dans la famille. Et la cousine qui se pend à son cou, pour l'embrasser. Au revoir, tonton... C'est ça... Tu connais pas ton bonheur ma vieille de pas avoir de père. Regarde-moi bien : parce qu'il a dit on rentre d'une certaine façon, je sais d'avance ce qui m'attend. Malade ou pas, il va me demander de rester dans le bureau. Et là, il faudra encore que je patiente, avant de savoir s'il faudra y passer ou non.

Et toi t'es là, à rigoler et à l'embrasser, tu sais rien, tu connais rien. T'as mon âge, on parle de musique, de rock, de fringues, des profs du collège, des galères de fin de trimestre, des garçons. On parle même des garçons. Tu flirtes, pas moi. Avant qu'un type me touche, il faudra qu'il m'attrape à la course. Je peux même plus regarder les cons qui s'embrassent dans les feuilletons télé, ou dans les films. Je tourne la tête, j'attends que ça passe à autre chose. Même Franck m'est sorti de la tête, il est dans le brouillard lointain, du temps où j'étais gosse.

— C'est vrai que ton père t'a payé une machine à écrire ?

Oui, c'est vrai. Pour faire les lettres aux clients et les factures. J'ai une belle machine à écrire, dans un beau bureau avec de la moquette partout, et un verrou qui ferme à clé. Et il n'y a que lui qui a la clé. Que lui. Tu veux savoir ? Quelle tête tu ferais si je te racontais à quoi il passe ses nuitsle tonton chéri ? Qu'est-ce que tu dirais, si je balançais comme ça, avant de monter dans cette putain de Mercedes : « J'ai dégueulé des cachets pour mourir. J'arrive même pas à mourir. » Va te coucher, cousine, je t'aime bien, t'es sympa, mais c'est toi qui me vomirais dessus, si je te racontais ma vie. T'as pas de vie encore, veinarde.

Clé de contact, moteur, demi-tour et en voiture. L'odeur des sièges m'écœure. La cigarette aussi.

Le truc à faire, ce serait de monter au dernier étage d'un immeuble et de sauter.

Non, le meilleur truc c'est le camion. Il me faut un camion. Je l'aurai bien sur ma route un jour ce camion de mort qui m'enverra à l'hôpital pour le restant de mes jours.

L'envie de mourir, c'est compliqué. On voudrait que ça vienne tout seul. Je m'étais ratée ce soir-là, mais maintenant je me demande si je voulais vraiment mourir. Oui, je le voulais. Pas de doute. Pourtant, je me disais parfois qu'un camion m'enverrait à l'hôpital, où je serais à l'abri de lui. Cassée, paralysée, dans le coma, j'en savais trop rien. L'idée était de rester à l'hôpital éternellement. Donc je ne mourrais pas. D'autres idées saugrenues me passaient par la tête à propos de mort. Par exemple que le bon Dieu allait me punir et me faire mourir dans la nuit, pendant mon sommeil. On trouverait le matin mon corps tout raide et tout froid, et j'entendrais parler les gens. Il dirait que j'étais une fille bien, personne ne saurait jamais que j'étais sale.

Le sale, c'était mon obsession. En parlant à quelqu'un dans la rue, à ma copine de classe par exemple, il me semblait par moments qu'elle le voyait sur moi. Je foutais le camp comme une dératée. Ou bien, j'évitais de parler. J'allais m'asseoir quelque part, sur un banc, à l'écart, je ramassais le tas de sale que j'étais, je l'isolais des autres, afin que personne ne le voie. Je me serais emballée dans un sac poubelle, pourquoi pas ? On disait de moi :

— Nathalie se renferme, c'est la crise d'adolescence.

C'était tellement plat, et minable ce genre de réflexion, par rapport à ma vie sale.

Et puis j'ai entendu parler de ça. En face du magasin de ma mère, il y avait une boutique d'électro-ménager. Anne-Marie B., la propriétaire, était devenue une des meilleures amies de ma mère. Elle était sympa. Elle vendait de tout, des moulinettes, ou des cassettes vidéo. C'était une femme curieuse, presque méfiante. Elle se posait tout le temps des questions, sur tout, et tout le monde. C'était naturel chez elle. C'est la seule personne qui se soit inquiétée, par exemple, qu'une gamine de mon âge se couche à des heures impossibles pour servir de secrétaire à son père, alors qu'elle allait à l'école le lendemain. Elle avait des soupçons. Je le sentais. J'en ai eu la confirmation un matin. La panique.

— Qu'est-ce que tu veux, Nathalie ?

— Un filtre à café.

— Ça va ? Tu as une petite mine.

— Ça va.

— Tu as regardé la télé hier soir ?

— Non. J'avais du boulot.

— Tu as souvent du boulot, je trouve... c'est pas raisonnable, je l'ai dit à ta mère... à ton âge, on a besoin de sommeil. Tu crois pas que l'école est plus importante que la comptabilité de ton père ?

— On peut faire les deux. C'est sans problème.

— Alors t'as pas regardé la télé ? Dommage, y avait une émission intéressante... sur l'inceste.

Merde ! Pourquoi elle me parle de ça ? Merde. Où elle veut en venir ? Elle a compris ? J'ai réussi ? J'ai gagné, elle a compris sans que je dise rien ?

Je déplace les filtres à café, je m'intéresse aux lampes électriques, je regarde les étiquettes, j'attends qu'elle y aille. Allez, vas-y, parle. Dis-le que t'as compris... Dis-le...

— Y a une fille qui a parlé dans l'émission, elle a téléphoné, en fait, on la voyait pas. Elle disait qu'elle était heureuse avec son père, et qu'elle voulait pas que ça change...

— Quoi ? Que ça change quoi ? Je comprends pas.

— Bon. Tu sais ce que c'est l'inceste ?

— Ouais. Comme ça...

— Les frères et les sœurs entre eux, ou le père et la fille, tu vois... Là c'était une fille qui couchait avec son père, et elle disait qu'elle était heureuse. Ça m'a choquée. C'est dégoûtant des trucs pareils...

— C'est combien l'allume-gaz ?

— Elle avait l'air jeune... Je sais plus quel âge... Mais y en avait d'autres qui n'étaient pas d'accord, tu penses... Des pauvres gosses... Tu parlerais, toi ?

— Comment ça... de quoi ?

— Eh bien, si ça t'arrivait, une chose comme ça, tu le dirais ?

Il faut que je réponde un truc. Mais j'ai trop peur. Je sais plus quoi faire. Je le dis ? Je le dis ? Si je le dis, elle va en parler à ma mère.

— Nathalie, réponds-moi. Tu sais dans l'émission, une fille a dit qu'elle aurait jamais pu en parler, si quelqu'un n'avait pas découvert ce que faisait son père. Et toi ? Qu'est-ce que tu ferais à sa place ?

— J'en sais rien, moi. Pourquoi vous me demandez ça ?

138

— Comme ça. Pour savoir. Ça m'intéresse. Par exemple, est-ce que tu le dirais à ta mère ? Ou à moi ?

— Mais pourquoi vous voulez savoir ça ?

— Parce que je trouve affreux que les filles à qui ça arrive ne le disent pas. Je sais pas, moi, on peut en parler aux autres ; l'animateur disait que les gens peuvent pas deviner tout seuls. La plupart du temps, les hommes qui font ça ont l'air normal, personne s'en doute. Et comme les gosses se taisent, évidemment... Sauf quand ils sont battus et que les professeurs le voient à l'école, par exemple, alors là on fait une enquête, on prévient la police, la DASS, on retire l'enfant de sa famille. C'est normal. Cette fille m'a choquée, je comprends pas comment on peut dire que c'est normal et qu'on est heureuse en couchant avec son père. Tu crois pas ?

Elle arrête pas de parler. Elle raconte l'émission en long, en large, et en travers. Elle attend que je craque. J'en suis sûre. Mais je peux pas lui dire... Je peux pas... Ferme ta gueule, Nathalie ! Tais-toi ! Si tu dis un mot, c'est le scandale. Maman. Pas maman. Surtout pas elle. Merde, elle serait capable de se suicider si elle apprenait ça.

— Qu'est-ce que tu en penses ? Tu sais, à moi tu peux tout dire. Tu peux me faire confiance.

— Si ça m'arrivait, je dirais rien.

Si je pouvais ! Mon Dieu, si je pouvais ! Elle est gentille, elle est culottée, elle a peur de rien, elle. Elle me sauverait.

— Et pourquoi tu dirais rien ?

Parce qu'elle ne gardera pas le secret. Parce qu'elle se doute trop fort, parce qu'elle me regarde dans les yeux, comme pour me faire craquer.

— Je dirais rien, parce que j'ai rien à dire.

— Tu es sûre ?

Ce jour-là j'ai bien failli. C'était la première fois qu'on me prenait de front avec une question directe. Inceste. Ils en avaient même fait une émission. Ils avaient donc parlé

139

de moi. Et je n'avais pas vu. Ils avaient donc parlé de moi sans moi. J'ai regardé dans une encyclopédie. J'ai lu :

« Chez la plupart des peuples anciens, l'inceste est considéré comme un crime. Objet d'horreur et de malédiction divine. Selon Freud, les premières manifestations sexuelles de l'enfance seraient toujours incestueuses. »

J'ai pas compris grand-chose. Ça sonnait un peu comme le raisonnement de mon père : « La société n'en veut pas, elle a tort... Il est normal qu'un père initie sa fille », etc.

Je n'étais plus enceinte. Je ne l'avais jamais été. Un sang rouge venait de me laver du danger.

Et ma mère depuis quelques jours me regardait soucieusement. La voisine avait parlé. Elle avait convaincu ma mère que j'avais un problème. Ce n'était pas difficile. Tout le monde le disait. Un problème, mais lequel ?

Maman essuie la vaisselle du matin, elle a les yeux cernés, moi aussi. Elle en peut plus, moi non plus.

— J'ai pris rendez-vous avec ce médecin dont m'a parlé Anne-Marie.

— Quel médecin ? Je suis pas malade.

— C'est un psychologue. Un médecin de la tête si tu préfères.

— J'irai pas.

— Nathalie... Je vois bien que ça ne tourne pas rond en ce moment, tu as vu tes notes ? Tu me parles comme si j'étais une ennemie, tu traînes dans la rue, tu n'étudies plus, on ne peux rien te dire. Je t'en prie, fais-le, juste une fois, tu verras bien.

— D'accord, maman. D'accord.

— Si tu as un problème, elle t'aidera.

— D'accord.

Elle soupire, parce que j'ai répondu en haussant les épaules. Mon problème, elle l'a dans la main. C'est la tasse à café de mon père. Trempée dans le liquide à vaisselle, ébouillantée sous le robinet, essuyée et reposée dans le placard. La voisine d'en face a deviné ou presque. Pas elle. Pas ma mère. Elle ne l'aime plus pourtant, elle en a peur, comme moi. Il règne en maître ici. Nous courbons le dos, nous écoutons ce qu'il dit, nous obéissons. C'est lui qui rapporte le fric, soi-disant. Son putain de fric. Il en donne pas beaucoup pour la bouffe en tout cas. Son fric, c'est pour lui avant tout. Et elle ne dit rien. Elle tire le diable par la queue pour le ménage, et il roule en Mercedes, il boit du champagne et il se paye de la drogue. Elle a aussi un problème avec lui. Elle n'en parle pas devant nous, les enfants. Mais j'aimerais bien comprendre pourquoi elle va toujours se coucher avant tout le monde, pourquoi elle avale toutes ces pilules, pourquoi elle est triste, pourquoi elle se fait pas la malle avec nous. Les enfants, on est toujours le prétexte : on reste, à cause des enfants. Elle pense peut-être comme moi. Se barrer, mais pour aller où ? Habiter où ? Avec quel fric pour bouffer ?

Ma sœur et mon petit frère aiment leur papa. Alors, il y a ces tas d'obstacles qui semblent insurmontables. De toute façon, elle dit toujours : « C'est un mauvais mari, mais un bon père. » Et elle le croit, parce qu'il est sévère. Parce qu'il ne veut pas qu'on joue avec n'importe qui, qu'on traîne dans la rue, qu'on regarde la télé après neuf heures du soir. Qu'on aille voir des films au cinéma. Sauf moi. Je peux bien me saouler dans un bar, il en a rien à foutre. Ou plutôt, il espère qu'à force de dégringoler la pente, je jouirai enfin de ses saloperies. J'ai compris ça, je suis grande maintenant. Il veut me foutre dans le même caniveau que lui. J'y suis déjà d'ailleurs. Mais on ne me noie pas dans un caniveau, moi.

J'en ai marre. Qu'est-ce que je vais lui raconter à cette bonne femme psycho de la tête ?

Elle est gentille. Elle reçoit les gens dans une des chambres de ses enfants. Elle essaie de me mettre à l'aise, et elle y arrive. Mais il m'en faudrait un peu plus. Salut. Au revoir madame. Je reviendrai peut-être.

Je ne sais même plus de quoi on a parlé. D'école, d'adolescence, encore et toujours. Je n'ai quasiment pas participé à la conversation. C'était flou, elle faisait fausse route. Ce n'est pas parce qu'une émission de télé fait un numéro sur l'inceste à vingt heures trente que ça change quelque chose. On ne demande pas à une ado de quinze ans, comme ça de but en blanc : « Est-ce que ton père couche avec toi, est-ce qu'il t'a violée ? » C'est tout juste si on demande : « Est-ce qu'on te bat ? »

Ma mère m'a demandé : « Alors ? » Et j'ai répondu : « Rien. » Je n'y suis pas retournée. Et pour cause.

La porte du bureau s'ouvre brutalement. Je suis là depuis une demi-heure à bosser sur les factures. Il est encore dans son état anormal. Il a dû fumer des joints...

— Tu es complètement dingue ! Irresponsable ! Qu'est-ce que tu es allée foutre chez ce toubib ? Ça va pas ? Tu ne sais pas que ces gens-là découvrent plein de choses sur les gens ?

Il vient de s'engueuler avec ma mère là-dessus. Il est rouge de colère. Il a peur. Il a peur pour sa gueule. Peur à en crever. Si j'avais dit quelque chose ?

— Qu'est-ce que tu lui as dit à cette bonne femme ?

— Ben rien.

— Ne te fous pas de moi ! Elle t'a posé des questions sur quoi ?

— L'école... des conneries...

— Je t'interdis d'y retourner, tu m'entends ? Tu n'as aucun problème. Le seul problème que tu as en ce moment, c'est que je vais te punir pour ça. Je vais te faire passer l'envie de retourner là-bas, moi... tu vas voir...

Il défait sa ceinture et commence à frapper.

— Tu vas voir... je vais t'apprendre à me respecter...

J'en bave encore. J'en ai marre de recevoir toujours pour les autres. Leur psy de merde, ils peuvent se l'accrocher, se la mettre où je pense. A partir d'aujourd'hui personne ne me dira où aller. Même Anne-Marie. Ça la regarde pas. Plus jamais je ne me laisserai prendre au piège. C'est mon malheur à moi. Je m'en démerderai toute seule.

Cette année-là j'ai cru que j'allais en sortir. Il avait décidé d'acheter une maison. Une vraie. Toute la famille ne parlait plus que de banque et de crédit, on visitait des maisons, et il me foutait la paix. On a eu la maison. Tout le monde était fou de joie. Maman un peu moins, elle allait devoir faire une heure de route pour le magasin. Pas question de lâcher la boutique comme ça. Mais le plaisir d'habiter enfin hors de ce trou à rats l'emportait sur le reste.

Le magasin serait mis en vente. On allait peut-être retrouver une vie normale. Ma mère ne se crèverait plus douze heures par jour, elle serait de nouveau à la maison. On aurait chacun sa chambre. On allait vivre.

De la merde. Il a trouvé plus pratique de laisser son bureau sur place.

Alors nous faisions la route trois fois par semaine, seuls,

pour aller « travailler ». « Faire les factures. » Souvent il était si drogué, qu'il voyait à peine clair. Une fois même j'ai pris le volant. A quinze ans et demi je conduisais. J'étais fière. Oh ! je ne conduisais pas la Mercedes. Il n'avait pas confiance. On avait une vieille R. 14, pourrie, mais j'étais heureuse quand même. J'ai fait la route sans problème de la maison au magasin. Au retour il était quatre heures du matin, et il était complètement dans le cirage. Je ne sais pas pourquoi, tout d'un coup, je me suis mise à trembler. En fait, je devine aujourd'hui. Une nuit de honte, la fatigue, la nuit, et ce père complètement bourré de hasch, à côté de moi. Tout à coup, au lieu d'appuyer sur le frein en arrivant, j'accélère, et on se retrouve dans un mur. Il n'a même pas eu le réflexe de tirer sur le frein à main. On aurait aussi bien pu se tuer. J'ai eu tellement peur. Il était là, à contempler ses éléphants roses, et moi le mur à travers le pare-brise. Mourir avec lui, jamais. Le tuer, oui. L'envie de le tuer me sauvait de ma propre envie de mourir. Mais il n'était pas mort, et il me dégoûtait encore plus ce connard, complètement flippé. La drogue, quelle saloperie !

Pas question de raconter l'accident à ma mère. Il aurait fallu avouer qu'il était quatre heures du matin, que j'avais conduit, alors qu'il était bourré de hash. Un inconnu avait donc endommagé la voiture sans laisser de carte. Il s'en sortait toujours, quel que soit le mensonge utilisé. Finalement le paternel, en ayant marre de faire la route trois fois par semaine, a trouvé plus malin de se fabriquer un bureau à la maison. Après quelque temps de répit, le couteau est revenu dans ma tête.

— Regarde. Dans trois semaines ce garage sera notre bureau.

— Pour quoi faire ? Pourquoi tu le laisses pas en garage ?

— Pour qu'on soit tranquille toi et moi.

Je regarde les ouvriers s'attaquer à ma future prison.

146

C'est une pièce carrée, avec une grande porte. Ils retirent la porte et font un mur avec une toute petite porte. A l'intérieur ils installent de la moquette par terre, et aussi sur les murs. Pourquoi sur les murs ? demande ma mère. Pour l'humidité et parce que c'est plus joli, répond mon père.

Pour ne pas qu'on m'entende crier, pour ne pas qu'on entende le bruit de ses cassettes porno, pour ne pas qu'on l'entende gueuler son sale plaisir. J'ai craché devant la porte, il n'a pas vu. Je suis lâche.

Je suis lâche. Encore des jours sans écrire. Il faut que je termine ce livre, il le faut. Sur cette machine à écrire. Celle qu'il m'a offerte. Je l'aime, elle est la seule à ne pas me juger. La seule à enregistrer les mots sans les contester. Un cadeau de lui, je sais. Mais il n'a jamais réussi à la salir, elle. Elle m'appartient. J'y ai tapé des poèmes, j'y ai raconté ma vie, en petits bouts que je jetais à la poubelle. Elle me vengeait un peu de lui, aussi. Incapable qu'il était de faire une phrase, alors que moi j'écrivais pour lui, à sa place. Il était nul, inculte. Ma machine et moi nous avions le pouvoir.

J'aurais dû lui en demander bien plus. J'aurais dû le ruiner ce salaud. Le vider de son fric, comme une baudruche. J'aurais dû le voler, le piller, c'est bête je n'y pensais pas. Je ne dois pas être une voleuse dans l'âme. Ce que j'ai volé dans les magasins, les stylos, les gommes, les crayons, les livres, les briquets, c'était de l'enfantillage. J'espérais peut-être naïvement qu'on m'attrape et qu'on me foute en taule. L'hôpital, la taule, ma grand-mère, c'était la liberté au-delà des barbelés. Ça n'a jamais réussi. Il en inventait tout le temps, des barbelés. Des neufs.

Vous pensez peut-être qu'il n'y a rien de pire, que j'ai déjà tout subi, vous ne connaissez pas l'humiliation du jeu des photos. Pourquoi était-ce encore plus insupportable que le reste ? Un viol de plus. Un viol sournois. Quand j'ai enfin parlé, il y a une chose que je n'ai pas dite à propos de ces photos. Je ne pouvais pas. C'était plus sale que tout le reste, parce qu'il est arrivé, un jour, à me faire participer. Vous comprenez ça ? Jusqu'alors, je ne participais à rien, je subissais. Et un jour je me suis retrouvée auteur de ma propre humiliation. C'est le souvenir le plus atroce. Il vous paraîtra peut-être anecdotique, mais réfléchissez bien. Vous verrez que l'astuce était diabolique. Si diabolique qu'elle m'a enchaînée pour longtemps encore. Qu'elle m'a culpabilisée à fond. Ligotée dans un autre barbelé, qui meurtrissait plus que ma chair.

Le garage-bureau-cellule de torture.

Il allume la lampe de bureau et dirige la lumière en plein sur la porte. L'unique porte d'entrée. Celui qui voudrait regarder par le trou de la serrure serait aveuglé. D'ailleurs il met un chiffon sur la serrure. Je le regarde prendre toutes ces précautions avec un mélange de mépris et d'angoisse. C'est un pauvre mec. Il m'a fait à moi le numéro du type qu'a peur de rien, sûr de sa théorie à la con sur l'inceste, mais, en réalité, il crève de trouille de se faire prendre. Il en crève de plus en plus. Et moi j'ai de plus en plus le couteau dans l'esprit.

Si quelqu'un nous surprenait, je suis sûre qu'il mentirait. Par exemple, il dirait que c'est moi la salope. La garce. Alors finalement, j'ai presque aussi peur que lui.

Il me montre un appareil photo. Un polaroïd. Pour quoi faire ?... Mon Dieu...

Il veut que je me mette nue et que je prenne des poses. Que je fasse des trucs dégueulasses pendant qu'il va me photographier. Ça l'excite. Il veut faire de sa fille une pute de porno. Une idée, vite, de quoi est-ce que je peux lui parler, pour l'empêcher de faire ça.

— Tu sais, je voulais te parler de mes notes à l'école.

— Je suis au courant, elles sont mauvaises.

Il dirige une lampe sur moi et me montre le bureau vide. Je dois monter là-dessus, pour prendre les poses.

148

— La dernière dissertation que j'ai faite... tu sais c'était sur...

— Allonge-toi...

— T'as pas été à l'école toi ?

Si je pouvais le brancher sur son adolescence, sur les problèmes qu'il a eus...

— Moi à ton âge, je n'ai pas eu cette chance. Plus de parents, ma sœur m'a élevé, il fallait bosser, se débrouiller tout seul. Pas d'école. Si j'avais pu apprendre comme toi...

Ça a l'air de marcher, il se lance avec passion dans le récit de son enfance. Je la connais par cœur et je m'en fous, l'essentiel c'est qu'il parle. Merde, il ne perd pas son idée fixe, il tire sur mes bras, sur mes jambes, il dispose mon corps comme si je n'étais qu'un objet. Un sale objet, dont on photographie les parties les plus intimes. Chaque flash me brûle les yeux de honte, et je parle encore, encore, je fais semblant de penser à autre chose, comme si cette dégueulasserie n'avait pas d'importance, comme si je m'en foutais éperdument. Je flotte. Il y a deux Nathalie : celle qui est là sur ce bureau, nue, à poil, affreuse, et celle qui parle sans regarder l'autre Nathalie. Je fixe le plafond, le vide. Je fixe le désespoir.

Il prend une photo, attend qu'elle jaillisse de l'appareil, la contemple, et recommence. Pourquoi fait-il ça ? Pour s'exciter ? Seulement pour ça ? Est-ce qu'il va montrer ces horreurs à quelqu'un ?

J'ai épuisé mes histoires d'école. Je passerai en seconde de justesse, il en a rien à foutre, tout ce qui l'intéresse c'est son nouveau jeu.

— A mon tour maintenant. Tu vas photographier ce que je te dirai... Prends l'appareil.

Non ! Ça non ! Je ne veux pas lui ressembler. Je ne veux pas faire les mêmes choses, aussi basses, aussi dégradantes. Il ne m'aura pas ! Si j'obéis, je suis foutue. Qu'il me batte, je préfère hurler sous les coups de ceinture. De toute façon, je hurlerai dans mon lit tout à l'heure. Je hurle tout le temps. Je hurle dans mon oreiller, la nuit, à m'en étouffer.

Il y a tant de hurlements en moi, un océan de hurlements déchaînés.

— Je t'ordonne de prendre cette photo. Tu m'entends ?

— Non. Je veux pas.

La ceinture. Il frappe.

— Je t'interdis de refuser. C'est normal de faire ça. Quand on aime son père, on lui obéit. Je veux que tu t'arraches de la tête toutes ces conneries que la société trimbale. Elle est pourrie la société. On va la changer. Tu m'entends ? L'inceste ne doit pas être interdit par la loi. Des gens comme toi et moi, ont le droit d'être heureux ensemble. On est le meilleur exemple.

Il me prend pour une tarée. Des coups et un discours philosophique à la con. Le bonheur c'est ça : des coups de ceinture, et photographier le sexe de mon père en gros plan ! Ce serait ça l'amour !

Il crie :

— Quand on aime, on fait tout ce qu'on veut !

C'est à moi maintenant. J'obéis finalement, comme d'habitude. Je traîne, je règle mal l'appareil, je ferme les yeux à chaque fois, je rate tout. Mais il le voit tout de suite, et je dois recommencer. Flash, et encore flash, je ne vois plus rien.

Je n'ai plus à me plaindre maintenant. Je mérite ce qui m'arrive. C'est bien fait pour ma gueule. J'ai accepté. Je suis comme lui. Au banc des accusés on est trois. Lui, l'appareil et moi. Je suis une sale garce. Bonne à tuer, à crever. Dieu m'a vu faire ça, la preuve est là, un petit carré de papier en couleur, un autre, et encore un autre. Regardez comme elle est sale Nathalie, regardez comme elle sait bien photographier le sexe de son père. Ce salaud a gagné la guerre. Il a fait de moi la femme qu'il voulait. C'est comme ça qu'il aime les femmes.

Merde, je suis pas une femme. J'ai quinze ans.

Il est content de sa petite femme, de sa salope. Je peux aller me coucher. J'ai des images en plus dans mon album de famille de merde. Gueule, hurle dans ton oreiller, hypocrite, tu t'es trahie toi-même. T'es foutue, foutue, foutue.

C'est ça que je n'ai jamais dit. Tout le reste, la ceinture, la machine à laver, toutes ces années de prostitution qu'il m'a fait subir pour son seul compte, j'ai pu. Mais ça... Chaque fois que je parlais des photos, j'occultais les miennes. J'ai eu cette nuit-là un tel sentiment de trahison. Une telle certitude que j'étais pourrie définitivement, parce que j'avais accepté au lieu de le tuer. J'aurais dû le tuer. Je ne me pardonnerai jamais ces photos. Jamais. Je ne pouvais plus me plaindre, puisque j'étais « consentante » de ça.

C'est étrange. Le simple geste d'appuyer sur le déclencheur d'un appareil de photos m'a rendue complice. Tant que je résistais dans ma tête, que mon corps ignorait ce qu'il faisait, qu'il n'était qu'un caillou sur lequel il prenait son plaisir, je tenais encore le coup. Un peu. Là c'était fini. Je me suis mise à me haïr moi-même, aussi violemment que je le haïssais. Je me revois dans mon lit, après cette séance horrible, roulée en boule, les dents plantées dans l'oreiller, à remonter toute l'histoire.

D'abord, c'était la faute de Franck. C'était à cause de lui, que j'en étais arrivée là. Je le hais, comme je hais mon père. Comme je hais pas mal d'hommes. Ce pouvoir de merde, qu'ils croient posséder parce qu'ils ont un sexe, je voudrais qu'on le leur enlève une fois pour toutes. Plus de sexe au ventre. Et alors ? Vous feriez quoi sans ce machin affreux entre les jambes ?

Mon père, ce type qui était censé être mon père, a tatoué lui-même sur son sexe un as de pique. Il aime les tatouages, il en a plein, il en est fier, il trouve ça joli. Il a appris à faire ça en prison. Parce qu'il a fait de la prison dans sa jeunesse. Il a volé, il est allé en taule. Je l'ai su bien plus tard. Son sexe était si important pour lui, qu'il l'a orné d'un as de pique, un as de malheur, la pointe de l'as tournée vers son ventre. J'ai photographié ça de près, je l'ai cadré, j'ai appuyé sur le déclencheur. Il le voulait dans toute sa splendeur probablement. Pour le montrer à qui ? Aux putes ? Je ne savais pas encore que cet as de pique me permettrait un jour de le confondre.

Je me dégoûtais. Je me trimbalais le lendemain à l'école, avec ce dégoût. Je n'étais plus la même. Aussi coupable que lui, aussi condamnable, aussi sale, laide.

On parlait des cours, des sorties, des clopes. Comme si de rien n'était. J'en avais marre de ces discussions de gamines. Ça me gonflait. Ces petites histoires de mecs. T'as flirté avec lui ou pas ? Ton père te laisse fumer toi ? Qu'est-ce que t'as mis dans la rédac sur Montaigne ? D'où tu sors ce pull ?

D'où je sors ce père ? Pourquoi moi ?

Je rentrai chez moi, sans envie, complètement paumée. Le trajet de l'école était long maintenant qu'on habitait cette belle maison avec des roses dans le jardin. Je l'aurais achetée rien que pour les roses, moi. C'est si propre une rose. Ça sent bon, ça se défend bien avec ses épines. J'aime les roses.

La semaine passait très vite, parce qu'il n'avait pas le temps, à ce moment-là, de me coincer avant le week-end. Je pouvais donc respirer du lundi au vendredi. Mais les jours défilaient à toute allure, c'est toujours comme ça, quand on est tranquille dans un coin, et que personne ne vous emmerde. Ou quand on est en vacances, ou heureux, ça va trop vite. Alors qu'une seconde d'angoisse c'est long comme une année.

Avril 1987... L'année prochaine je changerai de collège. Mais pas de famille. Ma mère m'a lâchée. Elle ne m'aime plus comme avant. Voilà ce que je pensais l'année de mes seize ans. Si elle m'avait aimée comme avant, elle aurait compris. J'étais injuste. Ma mère est une pure, une naïve, une esclave aussi. Elle a supporté tant de choses de lui que j'ignore encore. Mais à cette époque-là, elle m'avait lâchée.

J'étais seule. Ce n'était pas de sa faute évidemment. Mais j'étais effectivement seule.

Mon seul copain, mon seul allié, c'était mon couteau dans ma tête.

L'autoroute. C'est vendredi, jour de cauchemar. Je hais le vendredi. Je suis assise dans la Mercedes. Je hais la Mercedes. Il conduit, il se prend pour un pacha.

— Je vais à Lyon, voir des copains.

Va où tu veux, connard.

— Ce serait bien que tu viennes avec moi.

Danger, là. Je sens le truc glauque.

— Je voudrais que tu couches avec mes copains...

Mon Dieu, c'est pas possible. Il a encore trouvé autre chose.

— Ça va pas ?

— Ne me parle pas sur ce ton ! C'est pour ton bien. Je ne te toucherai pas. Je veux que tu couches avec d'autres hommes.

— Je veux pas. J'en ai rien à foutre de tes copains. Tu vas pas m'obliger à faire ça ?

— Je te répète que c'est pour ton bien. Il faut que tu jouisses. Ce n'est pas normal de ne pas jouir. Je veux savoir si tu jouis avec d'autres.

— Tu rigoles ?

— Pas du tout. C'est sérieux. J'ai trois copains formidables. Avec eux tu apprendras beaucoup.

Trois. Il veut que je couche avec trois mecs. Pour avoir du plaisir. Tu sais où tu peux te le mettre ton plaisir ? Je veux pas de plaisir, moi. Je veux qu'on me foute la paix. Qu'on me foute la paix, mon Dieu, notre père Dieu tout-puissant, curés de toutes les églises, vierges de toutes les couleurs tenant Jésus dans vos bras, vous laissez faire des choses pareilles ? Religion de merde.

— Je veux pas. Tu me prends pour une pute ?

— On en reparlera.

— Pas question d'en reparler, je veux pas c'est tout.

— Si on en reparlera. Il te faut un autre homme que moi, maintenant, tu es bloquée, il faut que ça change.

J'ai ruminé cette histoire pendant un mois. Ça me donnait une idée, à moi aussi. Il voulait d'autres hommes. Pas question. Mais moi j'allais m'en trouver un. D'ailleurs, j'avais déjà vu dans notre nouveau quartier un garçon qui m'avait tapé dans l'œil dès le premier jour.

Si je choisissais moi-même un garçon, un qui me plaise et que je couche avec lui, il me ficherait peut-être la paix, ce sadique. J'avais pris un drôle de coup de vieux déjà. Je me sentais capable de draguer un amoureux, et je me suis mise en chasse.

Ma sœur peigne ses longs cheveux blonds et rit de toutes ses dents.

— C'est vrai ? Il est comment ?

— Il a dix-huit ans, il est plus grand que moi, les cheveux châtain clair, des yeux noisette. Tu sais des yeux qui changent de couleur, des fois ils sont verts. Il est beau...

— C'est le pied. Tu vas le draguer ?

— Et comment !

— Comment tu vas faire ?

— J'en sais rien, mais j'y arriverai. Il me le faut.

Admirative, elle rit aux éclats. Elle est si jolie, si pure, ma sœur. Elle a grandi. Quatorze ans déjà. Pourvu qu'il ne la touche pas. Cette fois je le tue, s'il pose seulement la main sur elle. Cette fois, j'aurais la force de prendre le couteau. Le vrai. Pas celui de mes cauchemars.

— Comment il s'appelle ?

— Bruno.

— C'est super comme nom. Tu vas le voir demain ?

— Oui.

— Tu me raconteras ?

— Oui.

Elle saute sur mon lit, de joie. Une histoire d'amour...

Une histoire d'amour... Je n'y croyais pas vraiment. Au début les choses étaient très claires. Puisque je ne pouvais avoir la liberté de mon corps, j'allais imposer autre chose. Un garçon dans ma vie. Qu'est-ce qu'il aurait à dire à ça le père ? Qu'est-ce qu'il pourrait inventer ? J'avais l'âge d'avoir un amoureux, officiel, visible de tous. Je pourrais l'amener à la maison, deux ans de plus que moi, majeur, maman au courant, sauvée...

J'élaborais froidement mon plan, sans savoir que j'allais vraiment vivre une histoire d'amour. La plus belle de ma vie. C'est idiot ce que je dis, ma vie est courte, je n'ai que dix-neuf ans aujourd'hui et, à part Bruno, je n'ai pas connu d'histoires d'amour. Ça ne fait rien, c'est la plus belle de ma vie.

— Qui est ce garçon ?

Il fait le papa qui s'inquiète des relations de sa fille. Je vais te dire qui c'est. Avec plaisir.

— Bruno.

— Ah... Tu le connais depuis quand ?

— Quelques semaines. Je l'aime bien.

— Il travaille ?

— C'est sa dernière année de lycée.

— Ah bon !

C'est tout. Il ne gueule pas. Il ne m'interdit pas de voir Bruno. Qu'est-ce qui se passe ? Je m'étais préparée à la bagarre et rien. Il a l'air content. Évidemment qu'il est content, je suis bête. Il l'a sa couverture. Je vais fréquenter un garçon, il ne risque plus d'être accusé de m'avoir violée. Eh ben, je m'en fous. J'échappe aux trois copains de Lyon, en tout cas. Il voulait un homme dans ma vie, il y en a un.

Je n'avais pas compris encore qu'il allait exploiter la situation. Non seulement continuer à se servir de moi, mais aussi de Bruno. Jusqu'où pouvait aller ma naïveté ! Je me croyais grande — je l'étais certes, pour beaucoup de choses, et malgré moi —, mais restais naïve comme une gamine. Jusqu'ici j'avais bien essayé d'avoir des flirts, mais je ne les gardais jamais plus de quinze jours, et il n'en savait rien. J'étais incapable d'aller plus loin avec un garçon de mon âge. Incapable. Je voyais immédiatement la tête de mon père. Qu'un garçon me prenne dans ses bras pour flirter, et je prenais la fuite. Bruno était différent. Il me plaisait vraiment. Je le voulais. Et la famille l'a accepté facilement. Tout à coup, je me suis sentie exister...

Il y a devant notre nouvelle maison un lieu de rencontre. Une dalle de béton, nue, vide, inutile, sauf pour nous. Nous l'appelons le Carré. Nous, c'est Bruno et moi. Il est venu me chercher, on a parlé assis sur le béton, et on s'est promenés tout l'après-midi.

Il glisse son bras autour de mes épaules, et je recule instinctivement.

— Qu'est-ce que t'as ?

— Rien.

Sauf que je supporte mal qu'on me touche. C'est comme ça. On est sur le carré de béton, la maison est devant nous. La belle maison, achetée à crédit. Elle change ma vie cette maison. Pour la première fois, on a une chambre chacun. La mienne est tendue d'un papier rose, j'ai un lit de bois clair avec une commode, c'est mon coin, mon trou, un endroit où « il » n'entre pas. J'y allume ma bougie, le soir, j'y rêve, j'y écris mon journal, j'y prie un bon Dieu qui ne me répond pas.

Bruno se penche pour m'embrasser. Le voilà mon premier baiser. Près des lèvres, tout près, comme un papillon. Je n'ai jamais regardé en face un visage aussi près du mien.

— Pourquoi tu m'embrasses comme ça ?

— Comme ça comment ?

— Je sais pas, à demain ?

156

— Salut. A demain.

Je me suis laissé embrasser pour lui faire plaisir et j'ai dit n'importe quoi, histoire de dire quelque chose. Il s'en va, et je cours dans ma chambre, je saute sur mon lit, et j'écris la date sur le montant de bois clair : « 13 mai 1986. » Mon premier jour de vrai bonheur depuis des années, depuis mon enfance, et puis soudain la méfiance. Et s'il se moquait de moi ? Si tout ça allait s'arrêter ?

Vendredi, école. Il pleut à verse. Je hais les vendredis et les mardis. Le mardi, mon père m'enferme avec lui, pour les factures, parce qu'il n'y a pas école le mercredi. Le vendredi, aussi, puisqu'il y a pas école le samedi.

A la tombée de la nuit, j'invente un prétexte :

— On peut sortir avec Sophie... maman ?

— Pour aller où ? Il tombe des cordes !

— Un quart d'heure, on fait un tour.

— Pas plus tard, hein ? Ton père va rentrer.

M'en fous de ce salaud. Je cours sous la pluie avec ma sœur, à la recherche de Bruno. Le carré de béton est vide, les gouttes de pluie y éclatent dans un désert de flaques. La rue est vide, le quartier est vide, et moi aussi. Pas de Bruno. Ma sœur est aussi excitée que moi. Aussi déçue.

Et puis un bruit de voiture, Sophie me tape dans les côtes :

— Eh ! c'est lui je te dis...

J'y vois rien, je suis trempée. Mais non c'est pas lui. C'est juste une voiture, et juste un vendredi soir de merde. Je le verrai pas. Et l'autre va rentrer.

— Je te dis que c'est lui, regarde, il te fait signe.

C'est lui.

— Eh ben, il te fait signe, il dit bonjour...

— Fous-moi la paix...

— Mais qu'est-ce que t'as... Dis-lui bonjour...

— Fous-moi la paix, on rentre.

— T'es malade... Il a vu que tu lui répondais pas...

— Eh ben, tant mieux.

Pourquoi j'ai fait ça ? J'ai galopé sous l'averse dans l'espoir de l'apercevoir une minute, il arrive, et je me sauve, sans rien dire. Je suis malade. C'est vrai. On rentre. J'y crois plus, j'y crois pas. Un type comme un autre qui se moque de moi. Un flirt au passage, et il s'en ira. Cache-toi la tête dans l'oreiller, Nathalie. C'est pas pour toi ces histoires-là.

Je ne dors pas. La nuit est longue. La bougie tremblote. Pourtant j'ai eu de la chance ce soir. J'ai vraiment fait des factures. Rien que des factures. Pas de joints, pas de lumières dans les yeux, pas de photos, rien que le bruit de la machine à écrire. Et puis mon lit pour moi toute seule. J'ai peur. J'ai pas confiance. Il a dû me prendre pour une conne. J'aurais dû m'arrêter, lui parler. Au lieu de ça j'ai pris mes jambes à mon cou comme une imbécile. Je le veux et je le fuis.

Samedi, plein soleil. J'étends du linge sur le balcon, j'entends du bruit au carré. Je sors en courant.

Il est là. Grand, solide, avec ses yeux noisette. Il avance, se plante devant moi :

— Tu me prends pour un con ? On s'amuse pas avec moi.

— Qu'est-ce que j'ai fait ?

Menteuse. Je mens comme si j'étais née mensonge. Tout le temps.

— Tu m'as pas vu peut-être ?

— Non. On rentrait à la maison, c'est ma sœur qui m'a dit après que c'était toi.

Il me croit, ou pas, ce n'est peut-être qu'un jeu. On part en balade. Je l'ai, il est là. Fais gaffe Nathalie, maintenant. Laisse ce bras autour de ta taille.

Ton deuxième baiser arrive, le voilà. Applique-toi, ne recule pas. Laisse-toi faire. Si tu veux un garçon, il faut jouer le jeu. Fais comme les autres filles.

Un baiser. Un vrai sur la bouche. C'est bon de faire plaisir à quelqu'un.

— On se voit demain ? Je te montrerai le coin, tu connais pas beaucoup... C'est sympa, tu verras.

Je voudrais qu'il me dise des choses importantes. Que je suis belle, qu'on va plus se quitter. Je voudrais lui en dire aussi, mais plus banale que moi on meurt :

— Bon, eh salut, à demain alors...

Je me regarde dans la glace de la salle de bains. Ma bouche. Il a embrassé ma bouche. Il m'a touchée, et j'ai tenu le coup. Ça va aller. J'aurai un mec dans ma vie maintenant. Je ne serai pas obligée d'aller à Lyon, coucher avec des types inconnus. Chaque fois qu'on est sur l'autoroute, dans sa saleté de Mercedes, et que je vois le panneau Lyon 299 kilomètres, j'ai peur. Peur qu'il y arrive, qu'il me force à coucher avec ces types, à devenir une pute. « Je ne toucherais pas, je regarderais, c'est tout. »

Va te faire foutre ! Bruno va me sauver de là.

Dimanche. Beau dimanche. Main dans la main, Bruno et moi. Le bras de Bruno autour de ma taille. Le même pas, ma tête à hauteur de son épaule. Et tout à coup le bruit du moteur. Je le reconnais entre mille, ce bruit de moteur de Mercedes. Même pas besoin de me retourner, il est là, dans sa voiture, la tête penchée à la portière, il ralentit, stoppe près de nous. Maman sourit à côté. Il est blanc. Plus que blanc, livide. Il ordonne :

— Monte avec nous, nous allons chez ta tante.

— Non. On va se balader.

Je le regarde pas. Je regarde maman. Merci mon Dieu elle est là.

Et elle dit à papa :

— Laisse-les donc se promener, viens on s'en va.

Il démarre. Il m'a vue avec un garçon qui me tenait par la taille. Si je pouvais sauter plus haut que le ciel... il m'a vue, et il a rien pu faire, rien pu dire devant lui. Lui. Je suis protégée. Je suis grande, je suis amoureuse de Bruno. C'est ma chance. J'ai enfin une chance. Merci mon Dieu.

— Il est sympa ton père.

— Tu trouves ?

— Il l'est pas ?

— Si... si.

Bien sûr que si. Il faudra bien. Mais je sais très bien ce qui va se passer. Il sera obligé d'accepter Bruno. Il l'aura sa couverture, ce salaud. Il en voulait une, la voilà, mais moi j'ai un plan dans ma petite tête. Avec un homme, quand on est assez grande, on peut faire l'amour, avoir des enfants, se marier, et foutre le camp. C'est l'issue de secours.

Je serai amoureuse de Bruno. Et ça, il le prendra en plein dans la gueule.

— Nathalie, qui est ce garçon ?

Maman met la table, lui il est dans son bureau. Ou devant la télé. Il passe des heures devant cette télé, à regarder des cassettes, il vit sa vie, à côté de la nôtre.

— C'est Bruno.

— Et qu'est-ce qu'il fait dans la vie Bruno ?

— Un CAP de menuisier, je crois.

— Vous vous connaissez depuis quand ?

— Quatre jours...

Je les ai comptés les jours, depuis la date inscrite sur le bois de mon lit. Quatre jours de joie. De pluie et de soleil.

— Et vous vous tenez déjà par la taille ?

— Écoute, maman, on fait rien de mal...

— D'accord, mais tu n'as pas encore seize ans...

— Toutes les filles de mon âge ont un flirt... et les parents en font pas une histoire.

Pour maman, les filles doivent rester vierges jusqu'au mariage. Elle est démodée maman. Et drôlement naïve. C'est une pure. Lui, il dit que maman est déglinguée, qu'elle est tout le temps fatiguée, malade, déprimée... C'est vrai mais c'est de sa faute, à lui. Maman elle reste avec nous, les enfants, pas avec lui.

N'empêche, je lui en veux. C'est elle qui devrait faire les factures, pas moi. Elle avait qu'à apprendre, c'est pas si dur. C'est elle qui devrait coucher avec lui, pas moi.

160

J'ai honte aujourd'hui, d'avoir accusé ma mère. Je ne savais pas... je croyais savoir. Mais elle ne parlait jamais de lui. Elle se taisait. Elle ne pouvait pas imaginer une seconde que, subissant de lui ce qu'elle subissait, sa fille aînée aussi était une victime comme elle. Je savais pas, maman. Pardon. C'est bête, c'est con la vie. On n'a pas tous les chiffres en main pour comprendre l'équation. Et la mienne était vraiment pourrie dans le genre. Alors je croyais que ma mère ne m'aimait pas vraiment, qu'elle ne faisait plus attention à moi, comme lorsque j'étais petite fille. Dans une autre vie.

Je suis convoquée dans le bureau. Je m'attends au pire.

— J'ai entendu parler d'un certain jeune homme. Il habite le quartier.

— Oui.

Je guette son visage. C'est quoi le genre. Hypocrite ? Il va sortir la ceinture ?

— Il te plaît ?

— Oui.

Cette fois je vais en prendre plein la figure.

— Et il s'appelle comment ?

Je m'en fous qu'il me tape dessus, j'ai une lumière dans la tête. Un nom lumineux à lui balancer.

— Bruno.

— C'est bien.

J'attends. Il devrait hurler. Il devrait réagir comme la première fois. C'est l'heure de la bagarre.

Rien.

— T'as rien contre ?

— Non pourquoi ? Ça ne peut pas te faire de mal.

Il n'interdit pas. Il a même l'air satisfait.

— C'est tout ce que tu voulais me dire ?

— C'est tout.

Ce petit sourire de renard. J'ai compris. D'ailleurs, je le savais. Il a sa couverture. Quoi qu'il m'arrive maintenant, si

161

je couche avec un autre homme, il sera tranquille. Si je tombe enceinte, ce sera de Bruno.

Il est content. Mais je m'en fous.

Pauvre naïve, moi aussi. Comme ma mère. Je n'ai pas compris sur le moment que je n'étais pas libre comme je le croyais, parce que j'avais UN HOMME dans ma vie. Ou que j'allais l'avoir... Il allait se servir de moi, encore et encore, et en plus se servir de Bruno. Ce type était vraiment doué pour tout salir. Comment j'ai fait pour supporter ? Comment ? J'en pleure encore, maintenant, terrorisée à l'idée que si j'ai supporté tout ça, c'est qu'au fond, ça ne me déplaisait pas. C'est dur à concevoir et à écrire. J'en crève dès que l'idée s'insinue.

Ça vient des autres, cette idée-là. On m'a tellement demandé pourquoi. Pourquoi j'avais pas couru chez les flics, chez ma mère, chez la voisine du coin, n'importe où pour le dénoncer ? Et j'en ai marre de ce pourquoi. Je vais vous répondre encore une fois : parce qu'on ne casse pas toute une famille, parce que ce serait de ma faute si ma mère se suicidait en apprenant ça. Parce que c'était venu trop tôt, à un âge où on ne peut pas réagir.

C'est ce qu'il faut faire : réagir tout de suite, gueuler à la première paluche immonde qui se pose sur toi.

Je te parle, à toi la fille à qui ça vient d'arriver. Écoute-moi, je gueule le plus fort possible pour que tu m'entendes. Tire-toi ! Défends-toi ! Tout de suite.

Après, c'est trop tard. On se retrouve comme moi à espérer grandir à toute vitesse, pour pouvoir échapper au dictateur. Attendre que la petite sœur et le petit frère soient grands, pour que ça éclate sans trop de dégâts. Attendre qu'il se passe quelque chose venu d'ailleurs. Qu'un garçon arrive et te prenne par la main. C'est long. Affreusement long. Parce qu'en plus, tu détestes les hommes. Il faut se forcer pour les supporter. Ils sont coupables d'avoir un sexe. Comme l'autre.

162

Alors, fous le camp de là, si ça t'arrive et hurle à la mort. Dis tout au premier flic qui passe, au médecin de famille, au prof, à tes copines, à la Terre entière jusqu'à ce qu'on te croie. Ça aussi ça sera dur, mais tant pis. Tiens bon. On te prendra pour une pisseuse qui affabule, qui raconte des histoires pour se rendre intéressante. On te fouillera le cerveau, et le reste, pour avoir la preuve. Parce qu'il leur faut une preuve. Tiens bon. Ils l'auront un jour ou l'autre. Tu n'es ni folle, ni sale, ni menteuse. Tu dis la vérité. Dis-la tout de suite. Que ce soit le « papa », l'oncle, le frère, le voisin... Ne te laisse pas toucher une seule fois sans rien dire, sinon t'es foutue pour longtemps. Comme moi.

Bruno s'en va pour trois semaines avec ses parents. Trois semaines c'est l'éternité.

Ce soir nous irons danser. Mais cet après-midi, je le veux pour moi.

Ma chambre. Les volets clos. La musique de Cabrel. Je l'aime lui et sa musique. Il est mon espoir. Je résiste mieux en l'écoutant. Je pleure mieux. Je vais mieux.

Bruno et moi. Je vais faire plaisir à Bruno. Je vais faire l'amour avec lui. Je connais les gestes, mais pas le reste.

Elle disait j'ai déjà trop marché,
Mon cœur est lourd de secrets
Trop lourd de peine
Elle disait je ne continue plus
Ce qui m'attend je l'ai déjà vécu
C'est plus la peine
Elle disait que vivre est cruel
Elle ne croyait plus au soleil
Ni au silence des églises
Même ses sourires lui faisaient peur
C'était l'hiver au fond de son cœur.
Le vent n'a jamais été plus froid

163

La nuit plus violente que ce soir-là
Le soir de ses vingt ans
Le soir où elle a éteint le feu
Derrière la façade de ses yeux
Dans un éclair blanc
Elle a sûrement rejoint le ciel
Elle brille à côté du soleil
Comme les nouvelles églises
Même si ce soir-là je pleure
C'est qu'il fait froid dans le fond de mon cœur.

— Pourquoi tu l'as pas dit ?

Le disque s'est arrêté tout seul. Assis au bord de mon lit, il voulait savoir pourquoi et comment je n'étais plus vierge.
— Pourquoi tu l'as pas dit ?
Je redoutais la question. J'espérais comme une idiote que ça ne se verrait pas.
J'ai inventé une histoire. C'était Franck. Pauvre Franck, je l'avais déjà accusé de tout et je continuais.
— Je voulais pas, il m'a forcée. Il avait dix-sept ans et moi à peine douze ans et demi.
— Si je retrouve ce type je l'esquinte.
Le mensonge c'était donc que Franck m'avait violée à douze ans. Lui, un grand, alors que je n'étais qu'une enfant. Je mentais encore ou plutôt j'arrangeais la vérité à ma façon, comme si la vérité ne pouvait plus exister pour moi. Il fallait toujours inventer, construire des prétextes, des explications, des raisons, pour taire la vraie vérité.
L'amour aussi était mensonge. Effroi. Un moment j'avais dû lutter pour ne pas m'échapper. L'espace de quelques secondes, un autre visage s'était glissé à la place de celui de Bruno. Une terreur folle, un dédoublement.
C'était ma première fois. Ma vraie première fois et il fallait pourtant me faire pardonner. Il était déçu mon amoureux. Il aurait voulu être le premier. S'il avait su...

Mais j'avais voulu qu'il soit le premier, quand même. Ça, on ne me l'enlèvera pas. Cette fois-là, j'étais d'accord. C'est moi qui ai fermé les volets, c'est moi qui ai posé le disque sur la platine. C'est moi qui me suis allongée sur mon lit à moi, avec l'homme que j'avais choisi. Pour sauver ce moment-là, j'avais le droit de mentir, de me faire plaindre. Il me croyait, il me délivrait de ma souffrance.

Et puis j'avais remporté une victoire gigantesque sur moi-même. Mon corps avait supporté un autre corps. J'avais réussi à coincer la tendresse, je ne la lâcherais plus. Je n'avais que ça comme bouée de sauvetage, comme existence, désormais. La tendresse. Un amour spécial. Avec ses limites, ses peurs et ses cauchemars qui me faisaient, tout à coup, reculer, m'échapper. Je voyais mon père surgir comme un fantôme. Envie de hurler. Bruno ne comprenait pas, bien sûr. Lorsque je reprenais mon calme, c'était encore et toujours la faute de Franck, institué violeur de mon enfance pour toujours. Le prétexte à mes terreurs subites. Aux tremblements, aux refus. A cause de lui, je ne pouvais pas être nue. A cause de lui, je dormais tout habillée. A cause de lui, je filais sous la douche, je me rhabillais, pour retourner encore sous la douche cinq minutes après.

Aujourd'hui encore je ne peux pas être nue. Aujourd'hui encore, j'aime à ma façon. Pour faire plaisir à l'autre. Pas à moi. J'ai du mal à porter une robe. Une impossibilité totale à me découvrir. Il m'arrive de dormir en pantalon, quand ça va mal. Au mieux, j'enfile un pull-over sur ma chemise de nuit. Je garde mon slip, je mets des chaussettes.

Aujourd'hui encore j'ignore le plaisir, celui dont tout le monde parle. Je l'ai dans la tête, quelquefois, à condition que le diable ne vienne pas s'en mêler. A condition de ne pas voir défiler les images atroces. Je n'ai pas encore acheté de machine à laver chez moi. Vous comprenez ?

Ce soir-là, le plus important de ma vie, j'étais folle en racontant la grande aventure à ma cousine. Et elle riait de ma peur d'être enceinte.

— On n'est pas enceinte la première fois qu'on fait l'amour, jamais.

Elle avait mon âge, et elle croyait à l'impunité de la première fois, comme à un truc magique.

— Tu es sûre ?

— Certaine. Alors raconte... C'était comment ?

Je n'ai pas raconté. J'ai dit que c'était formidable. Que j'étais amoureuse, que la vie était belle, et mon cerveau a basculé. J'ai tout oublié, j'ai dansé, j'ai fait la fête comme une hystérique. Bruno avec moi, autour de moi, toute ma vie, ce soir-là, était Bruno. Une drogue fantastique.

Le lendemain matin je cherchais Bruno partout dans le quartier, j'avais oublié qu'il était parti, qu'il m'avait dit au revoir pour trois semaines. Je ne sais pas ce qui s'est passé dans ma tête. Le trou noir. La seule chose nette, c'est le visage du copain, les yeux écarquillés de surprise, à qui je demandais :

— Il est où Bruno ? Tu l'as vu ce matin ?

— Mais enfin, il est parti... Nathalie, tu déconnes ou quoi ?

Parti. La folie me guettait. C'est vrai il était parti, je le savais, et je le cherchais quand même.

Il était parti pour trois semaines, c'était l'éternité.

Nouvelle convocation dans le bureau-garage à moquette :

— Si on parlait de Bruno ?

Aujourd'hui c'est papa prévenant, papa questionneur, papa sentencieux :

— Surtout que cela n'influence pas tes études.

Un silence.

— Est-ce qu'il t'a demandé d'aller avec lui ?

Je fais celle qui ne comprend pas. Il n'arrive pas à poser la question franchement.

— Je veux dire, est-ce que tu as eu envie d'aller avec lui ?

Il va bien finir par le dire.

— Vous êtes allés ensemble ?

— Et si ça arrivait, tu crois que je te le dirais ?

— Est-ce que tu as couché avec lui ?

Quand même. Il y est arrivé, à force de tourner autour du pot. Je redresse la tête, pour la réponse :

— Oui.

— Est-ce que tu as eu du plaisir ?

Il espère que je vais répondre non. Ça se voit aux yeux, ça s'entend à la voix.

— Oui.

Est-ce que je lui mens ? Il ne sait pas.

C'est formidable d'avoir barre sur lui. On est deux contre lui. Je me sens forte.

— En tout cas, demain tu restes avec moi.

— Demain c'est samedi. Je devais sortir avec Bruno.

— Comprends-moi bien, Nathalie. Je te permets de coucher avec qui tu veux, bien que tu sois mineure, et que j'aie parfaitement le droit de te l'interdire. Le droit d'en parler à ta mère aussi. Tu sais que ta mère n'approuverait pas. Tu es trop jeune.

— Trop jeune ? Je suis pas trop jeune pour le reste ?

— C'est comme ça. Moi je n'interdis rien. Ce sont les autres qui interdisent l'inceste. Pas moi, pas toi. Nous nous savons que c'est normal. Donc je n'interdis rien, à condition que tu m'obéisses.

— Bon, alors je peux sortir avec Bruno ce soir ?

— Tu peux, mais demain tu restes avec moi.

Le chantage. Il savait que j'avais peur d'affronter ma mère sur ce sujet. Il était fier de lui. Maman m'aurait assassinée. Comment son bébé pouvait-elle coucher avec un homme ? Elle aurait une fausse image de moi. Je ne pouvais pas lui dire : « Maman, je couche avec un homme pour ne pas aller à Lyon coucher avec des dégueulasses. » « Maman, je couche avec un homme, pour échapper à papa. » « Maman, je couche avec un homme pour me prouver que je peux aimer quelqu'un. » « Maman, c'est dur de coucher avec un homme, mais j'ai décidé de le faire pour que papa me foute la paix. »

D'ailleurs il ne me foutait pas la paix. Je n'étais en rémission que lorsque Bruno était à la maison. Mais j'étais plus calme. J'arrivais à parler à maman. Mieux qu'avant. De mon avenir, par exemple.

Je serai avocate. J'aurai une vie bien remplie avec des enfants. Et elle, elle me parlait d'aventure : un jour, elle s'en irait en croisière sur un grand paquebot qui ne reviendrait jamais au port. Une croisière éternelle.

Moi je rêvais d'un mari qui ne me toucherait jamais. D'une mère qui n'appartiendrait qu'à moi. Des rêves flottaient dans la cuisine, sur les meubles de bois clairs, sur les rideaux à carreaux. Jusqu'au moment où le bruit haï du moteur de la Mercedes venait tout détruire.

Mais je réapprenais à aimer ma mère. Je devenais femme moi aussi. J'avais enfin un secret à moi toute seule, un propre. Il s'appelait Bruno.

Et j'avais aussi une amie, une vraie. Valérie, jolie, blonde, bavarde, intelligente. Elle venait d'Afrique, était en classe de première dans mon nouveau lycée, moi en seconde. Avec Valérie j'arrivais à parler de tout, même des choses intimes concernant Bruno. Curieusement, elle n'aimait pas mon père. Elle le trouvait « pas net ». Lorsqu'ils se rencontraient à la maison, elle était aussi agressive que lui, il ne lui faisait pas peur. Elle trouvait débile sa violence, son autoritarisme permanent. Ça me mettait mal à l'aise. Comme si elle pouvait deviner d'instinct. Valérie m'a raconté, un jour, une scène, dont je ne me souviens absolument pas.

Il paraît qu'un soir je lui ai téléphoné de la maison, en

larmes. En bafouillant, je lui ai dit que j'étais planquée sous l'escalier, avec mon chien, que j'avais mal, ou peur. Elle a cru que j'avais bu, ou avalé quelque chose. J'avais dû effectivement avaler des cachets. Ça me prenait souvent, après les séances affreuses du mardi ou du vendredi. J'avalais une dizaine de tranquillisants volés dans la pharmacie de ma mère et je me faisais un coma. Peut-être pas pour mourir, mais pour disparaître, oublier, sombrer. Ce soir-là elle est venue me chercher, on est allées au bal retrouver les copains du samedi soir. Nous sommes allées dans les toilettes pour parler, elle ne comprenait pas ce que j'avais. Alors j'ai ouvert mon chemisier, je lui ai montré les traces de coups sur ma poitrine. Je pleurais tellement, que j'arrivais pas à expliquer. Mon père m'avait frappée. Pourquoi, je n'ai pas réussi à le dire. Une bagarre, une dispute, mon histoire était incompréhensible pour elle. Plus tard, elle m'a dit elle aussi : « Pourquoi ? Pourquoi tu ne m'as pas tout dit ce soir-là ? Je t'aurais aidée. »

Et merde. J'en sais rien. C'était devenu une habitude de dire que j'étais malheureuse parce que mes parents ne s'entendaient pas. Ça coupait court à toutes les questions personnelles qu'on aurait pu me poser.

Bruno était revenu. J'avais la paix le week-end. Je n'osais pas espérer mieux. Mon père me faisait chier le reste du temps, c'était comme ça. Une habitude de vie. Mardi et vendredi soirs atroces, week-end en amoureux. Il y avait deux Nathalie. Une abrutie, désespérée. L'autre pleine d'espoir.

Valérie parlait de son bac, elle voulait réussir, moi je m'en foutais toujours, alors que je prétendais devenir avocate, faire mon droit. Là aussi il y avait les deux Nathalie, celle qui ne faisait rien en classe, et celle qui se voyait défendre la veuve et l'orphelin.

J'avais seize ans, deux hommes se partageaient mon corps, il fallait bien que le désastre arrive.

Bruno me regarde, dans le noir de la chambre, il cherche mes yeux, il est malheureux.

— Je comprends pas... Tu veux qu'on se sépare ? Au bout de trois mois, tu dis que tu veux respirer... Ça veut dire quoi respirer ? On se quitte ?

— Non... on réfléchit.

— T'as pas confiance en moi ?

— Si, mais...

— Pour moi, y a pas de mais...

— Quelques jours seulement Bruno...

Pourquoi je l'emmerde ? C'est pas vrai cette histoire. Encore une invention de Nathalie comédienne. J'ai envie qu'il se passe quelque chose d'important. Besoin de le mettre en danger. De l'inquiéter. Je suis dégoûtante avec lui. Il m'aime, et moi ? Moi aussi. J'ai que lui. Arrête tes conneries, Nathalie... Et si tu le perdais, à force de faire l'imbécile ?

— Excuse-moi. C'était juste pour... pour rien...

— Tu te fous de moi ?

— Non. Je balise un peu en ce moment. Tu sais mes parents ça va pas très fort... Ma mère se tirera un jour, quand mon petit frère sera grand... l'ambiance est pas terrible à la maison... excuse-moi. Laisse tomber.

Soudain, j'avais l'envie de tout bousiller, même mon unique bonheur, je voulais tenter de le détruire. Mettre Bruno à l'épreuve d'une séparation... C'était n'importe quoi, un cinéma de plus dans le fouillis de ma tête. Je ne sais plus bien comment j'ai rattrapé ça. Mais je l'ai rattrapé. M'offrir le danger pendant une minute... finalement ça m'avait suffi.

Imbécile. Je tenais à Bruno plus que tout. Mais dans mon cas, il est difficile de croire qu'on vous aime. Peut-on aimer quelqu'un de sale, comme moi ? De menteur comme moi ? Faut-il préciser aussi que les rapports avec Bruno étaient un mensonge de plus. Dès qu'il me touchait je mentais. J'aimais pourtant, à ma manière, seulement voilà, aimer devenait un autre piège.

Pas de règles. Ces maudites règles, ces saletés de règles ne veulent pas venir. Chaque jour, je m'inspecte avec dégoût et méfiance. Ça viendra demain. Le lendemain toujours rien. Le mystère est en moi. Un enfant ? Un petit bébé ? Mais de qui ? QUI ? Qui est le père ? Qui a osé me faire ça, alors que je n'étais même pas au courant ?

Un enfant de mon père, un enfant de Bruno, qu'est-ce que j'ai ? Mais qu'est-ce qu'il y a là-dedans ?

Cabrel me chante.

Je suis entré dans l'église je n'y ai vu personne,
Que le silence éteint du plâtre des statues.

172

Écrasée à plat ventre sur mon lit, dans le noir de ma chambre, à la lumière d'une bougie unique, je réfléchis. D'abord, ma mère : c'est elle qui souffrira. Elle ne m'aimera plus. Lui il accusera Bruno d'être le père, et s'en tirera, comme d'habitude. Et si je le gardais ? C'est peut-être le moyen de partir. Mais partir avec un enfant de mon père ? Comment vivre, après ? Tant pis. Je m'en fous. De toute façon, je suis fichue, le bébé aussi. Si c'est ça, je pars avec lui dans mon ventre, avec Bruno, et je la fermerai pour l'éternité. C'est la seule chance que j'ai à portée de main. Une chance pourrie. Mais une quand même. Foutre le camp. On verra bien. J'en peux plus.

Maman saura que je fais l'amour avec un homme, maman sera malheureuse. Et puis elle s'y fera. J'ai seize ans, je peux me marier avec une dispense, en tout cas, il me foutra la paix, l'autre, définitivement.

Cabrel me chante :

J'ai croisé le mendiant qui a perdu sa route
Dans son manteau de pluie je lui ressemble un peu
Et puis j'ai ton image plantée dedans les yeux
Je pense à toi.

Je l'écoute encore et encore. Ça fait du bien d'avoir des mots comme ça dans la tête. Ça saoule. Ça rêve. Ça oublie.

Samedi-garage-bureau. Mon père et moi.

— Je vais t'acheter un test de grossesse. C'est le seul moyen d'y voir clair. On saura la vérité.

J'ai envie de savoir la vérité ? Je crois pas. C'est quoi un test de grossesse. Un truc qui dit qu'on est enceinte ou pas, mais ça dit pas de qui.

Il est embêté. Juste un peu. Comme si la chose ne le concernait pas vraiment. Il a tout prévu.

— Ta liaison avec Bruno est officielle. Personne n'y verra rien à redire. Ça nous permettra de mettre les choses au point avec ta mère. Si c'est ça, on en parlera avec elle, on verra ce qu'il faut faire.

— Parce que c'est Bruno le père ?

Il hausse les épaules. C'est évident.

Il va lui-même acheter le test.

Il revient avec une petite boîte en carton enveloppée dans un sac de papier blanc.

— Fais-le correctement, tout est expliqué sur le papier.

Enfermée dans la salle de bains, je me regarde dans la glace. J'attends que cette saloperie change de couleur, les yeux rivés sur le petit tube de verre. Ma vie en dépend. Une autre vie aussi. Alors tu changes de couleur, saleté ?

Orange. Ce truc dit que je suis enceinte. Tout est orange. La terre est bleue comme une orange. Mon ventre est rond comme une orange. J'en veux pas. Ce truc s'est planté. C'est pas possible, il va changer, il va devenir vert et j'aurai rien du tout dans le ventre. Peut-être que je l'ai mal fait ?

Je relis le papier. C'est simple. Il y a un truc qu'on élimine dans l'urine, et un truc qui le colore. Si ça colore en orange, c'est ça.

Je pleure comme une folle. Je tourne en rond dans cette salle de bains, sans savoir quoi faire. Je prends une douche, pour avoir du courage, pour réfléchir. L'eau froide sur la peau, sur la poitrine, sur le ventre, je hais tout ça. On n'avait pas le droit de me faire ça. Et puis non. C'est de ma faute. Si je n'existais pas, il n'y aurait pas mon père, il n'y aurait pas Bruno, il n'y aurait pas toutes ces emmerdes autour de moi. Tout est de ma faute. Ma faute, mon unique faute. Je vais pas prier le bon Dieu en plus. Je sais maintenant que les églises sont vides.

Je frotte, frotte sous l'eau froide, comme une folle. Je me lave d'eau et de larmes. Il ne faut pas réveiller le monde qui dort. Moi je souffre, eux ils dorment. Je sors de la douche, je frotte encore, je me rhabille, je marche sur la pointe des pieds dans le couloir, je vais jusqu'à ma chambre et je repars sous la douche. Je ne suis pas propre. De toute façon je ne le serai jamais.

Je repars sur la pointe des pieds, rouge de l'eau glacée, inutile.

Je vais me mettre là, dans mon rocking-chair. Je vais me balancer et écouter Cabrel, encore et encore. Fais-moi oublier. Fais-moi rêver au grand amour, à l'amour idéal comme dans un conte.

La porte s'ouvre brutalement, je bondis en arrière. Mon père entre chez moi. Dans ma chambre. Je déteste ça. Je ne veux pas de lui ici. Ici c'est moi. Uniquement moi. Ou Bruno.

— Qu'est-ce que tu veux ?

— Savoir. Alors ?

Il s'assied sur le lit, à côté de moi toujours dans le rocking-chair.

— Ça t'empêche de dormir ?

— Non. Je venais aux nouvelles.

— Elles sont super les nouvelles. Je suis enceinte.

— Je vais t'envoyer chez un médecin lundi. Il nous faut une confirmation. Je vais prendre rendez-vous, tu iras seule, voilà de l'argent.

— Qu'est-ce qu'il va dire de plus le médecin ?

— Il va t'examiner, il te fera faire un autre test, plus sûr, et on avisera.

On avisera. C'est ça.

— T'aviseras quoi ?

— On verra. S'il le faut absolument, je pourrais t'envoyer en Angleterre. S'il y a des problèmes avec Bruno par exemple. Mais ça m'emmerde. Ça coûte cher, et je ne pourrai pas te laisser y aller seule. Tu es mineure. Pour ta mère, on verra plus tard.

Il s'en va. Il a pollué ma chambre, avec sa gauloise, son indifférence. Il n'a même pas peur, le salaud. Bruno est là pour tout encaisser. Bruno devra le dire à ses parents et ce sera la merde, à cause de moi, une fois de plus. Ou alors on m'expédiera comme un paquet à Londres, pour me racler le ventre, pour sortir ce bébé de là. Me voilà sale d'un bébé.

175

J'ignore pourquoi mon père m'a fichu la paix tout au long de ce dimanche d'angoisse. Il m'a même donné de l'argent pour aller boire un coup avec les copains. Comme si j'avais besoin d'une récréation. Pas besoin. Je ne voulais voir personne, j'avais envie de rien, sauf de Bruno. Je suis allée en balade avec lui. J'étais Nathalie normale, Nathalie menteuse. Nathalie trimbalant toujours un secret, condamnée au silence, au jeu du « tout va bien, je suis comme tout le monde ».

Lundi matin. J'ai peur d'y aller toute seule. En sortant de là, il faudra que je retourne au lycée, normalement.

Valérie, il faut que je la trouve.

— Alors ? T'es vraiment enceinte ? J'ai rien compris au téléphone, qui c'est ? Qui c'est le père ?

— Bruno.

— T'as une sale gueule, t'es toute blanche. C'est à quelle heure ?

— A dix heures. J'ai peur.

— Je reste avec toi.

— J'ai la trouille. Il va me regarder.

— Écoute, c'est pas terrible. Les médecins ont l'habitude. Je t'attendrai. Je te promets.

L'immeuble, la plaque du médecin. Gynécologie-accouchements.

Attente. Il est tôt, il n'y a personne dans la salle.

Un visage sympathique, souriant. Heureusement, il est gentil ce type. C'est déjà ça. J'avais peur de tomber sur un vieux.

Valérie me serre la main :

— Allez... Vas-y, je reste là.

J'entre dans un cabinet, il me fait asseoir.

— Alors ?

Je sors le test de ma poche, je le lui tends. Il hoche la tête.

— Quel âge avez-vous ?

176

— Seize ans.

— Votre famille est au courant ?

— Mon père, c'est lui qui a pris rendez-vous.

Il a l'air étonné.

— Votre mère n'est pas avec vous ?

— On lui a pas encore dit.

— Parlez-moi du garçon.

Je parle du garçon comme je peux. Il s'appelle comme ça, on s'aime. La famille... ça va la famille.

Il pose le test orange sur son bureau et m'explique, en le montrant du bout de son stylo.

— Lorsque le test est négatif, il l'est réellement, vous comprenez ? Cela veut dire que la femme n'est pas enceinte. C'est une certitude. Mais lorsqu'il est positif, il faut faire un examen, une prise de sang, et un contrôle de l'urine en laboratoire. C'est ce que nous ferons. Maintenant vous allez vous déshabiller, il faut que je vous examine.

Je veux pas me déshabiller, pas devant un homme.

— Ne soyez pas gênée mon petit. J'en vois des dizaines par jour comme vous. Allons, du courage, ça sera vite fait.

J'ai dû mettre un temps fou pour enlever mes fringues une à une. Il me parlait pendant ce temps pour me rassurer. Et tout à coup, avant même de monter sur la table d'auscultation, j'ai senti comme un frisson bizarre, une faiblesse des jambes, et aussitôt mes sous-vêtements ont été inondés de sang. Partout, une hémorragie, un flot tiède et fade. Une horreur. Je ne savais plus où me mettre. D'où ça sortait ? D'où ? Depuis trois semaines que j'attendais, jour après jour, il fallait que ça arrive maintenant, devant ce médecin, aussi surpris que moi. J'ai fondu en larmes, prise de panique. C'était affreux d'être à moitié nue devant cet homme avec tout ce sang qui coulait lamentablement de moi. Il m'a aidée. Il m'a donné de quoi me laver. Des couches de coton énormes. J'étais là comme une idiote, à

177

l'écouter, morte de honte, et de peur aussi. La tête vide, le corps vide, je flottais, j'allais sûrement m'évanouir. Il m'a d'abord calmée. J'ai avalé des cachets pour arrêter l'hémorragie. J'ai sangloté dans le verre d'eau, pendant qu'il essayait de m'expliquer. A son avis, je venais de faire une fausse couche. J'étais sûrement trop jeune encore pour garder un enfant. Le choc psychologique de l'examen y était aussi pour quelque chose, sûrement. Il fallait donc que je fasse des examens complémentaires, une échographie pelvienne.

Il n'était pas question que j'aille me faire examiner par d'autres médecins. Plus jamais je ne mettrai les pieds chez un gynécologue. Plus jamais. Je voulais retourner au lycée, il m'a prescrit des cachets, a fait un mot pour l'infirmière du lycée. Et je me suis sauvée avec ma fausse couche. On m'a mise à l'infirmerie jusqu'à la fin des cours. J'ai supplié l'infirmière de ne pas prévenir ma mère. Elle a bien accepté. J'étais vide, malade, épuisée de souffrances morales. J'essayais de me calmer, de dormir sur cette couchette, la vision de tout ce sang m'avait secouée étrangement. Un cauchemar en rouge. Il n'y avait plus de bébé.

Était-ce un soulagement ? A ce moment-là, dans mon lit d'infirmerie, je ne savais plus quoi penser. D'ailleurs je ne pensais plus. C'était trop dur de penser.

Dire que j'aurais pu concevoir, porter, élever un enfant dont je n'aurais probablement jamais su s'il était de mon père, ou de Bruno. S'il était né de l'horreur ou de l'amour. A seize ans, je m'étais persuadée que c'était un moyen de m'en sortir. Maintenant... Maintenant je préfère ne plus y penser. C'est ça. Je ne vais pas décortiquer un problème qui est mort de sa sordide mort.

— Maman ? C'est moi.
— Qu'est-ce qu'il y a ? Qu'est-ce que tu as ? Tu es malade ?
— Non.

— Tu es pâle, Nathalie, tu es malade ! Qu'est-ce qui t'est arrivé ?

— C'est une copine, elle s'est fait renverser par une voiture, j'ai eu peur.

— Tu as pleuré. Je vois bien que tu as pleuré...

— Ça va passer maman, c'était impressionnant, tu sais, j'ai cru qu'elle allait mourir.

— Raconte-moi...

— Il n'y a rien à raconter de plus. Qu'est-ce que tu veux que je te dise... On l'a emmenée à l'hôpital...

— Qui est-ce ?

— Tu la connais pas.

— Elle est gravement blessée ?

— Elle a perdu beaucoup de sang... mais ça va. Ça va...

Mentir, toujours. Mentir comme on boit de l'alcool. Comme on fume, pour s'étourdir.

Maman se calme. Lui me surveille. J'ai pas eu besoin de le regarder. Il a compris.

Maman s'occupe à la cuisine, il m'entraîne :

— Je vais chez ta tante, tu viens avec moi, il faut qu'on parle.

— Je suis fatiguée, j'en peux plus...

— Je veux savoir ce qui s'est passé chez le médecin. Amène-toi, et ne discute pas.

Dans la voiture ? Mal aux reins, mal au ventre, mal à la tête et lui qui ne me croit pas.

— Des salades tout ça... Ce médecin t'a raconté n'importe quoi. Ça n'existe pas...

— Si tu ne me crois pas, renseigne-toi.

Merde à la fin. Merde. Qu'est-ce qu'il croit ? Que j'invente ? Que j'invente quoi ? En plus il me traîne chez sa sœur. Sa sœur-mère, sa sœur mamelle, celle qui le trouve parfait, sous prétexte qu'elle l'a élevé. Je la hais. Il tuerait qu'elle achèverait sa victime pour lui faire plaisir.

La télé. En plus, il y a la télé. Et dans cette saloperie de télé, il y a une fille enceinte qui parle de son cas, qui l'étale, qui en discute. Je vomirais la terre entière dans ce salon, si

179

seulement j'en avais la force. Je suis malade, malade, malade dans mon corps et dans ma tête.

Retour en voiture.

— Je suis malade, il a dit de me soigner.

Sous-entendu, tu vas me foutre la paix avec tes pornographies hebdomadaires.

Le silence. La route noire. La Mercedes blanche. Bruno va partir à l'armée. Bruno me lâche, il me laisse tomber, pour un uniforme. On ne se reverra que tous les quinze jours. Une pauvre permission pour moi.

— En attendant il faut que tu prennes la pilule. J'en ai assez de ces histoires de règles. Parles-en à ta mère. Dis-lui que c'est pour Bruno.

C'est ça. Défile-toi, salaud, couvre-toi. Protège-toi. Laisse ta fille adorée se rouler dans la boue et se détraquer complètement. La pilule. Ça changera quoi pour moi ? La pilule c'est la liberté sexuelle. Je n'ai pas de liberté sexuelle. Je n'aime pas faire l'amour, ni avec lui ni avec Bruno. Même avec Bruno, je reste dans le noir, je ne veux pas qu'il me voie nue. Même avec Bruno, il y a des gestes que je ne peux pas faire, des mots que je ne peux pas dire. Ce n'est pas la peine de vouloir mourir. Je suis déjà morte.

« Faire l'amour », « garce », « jouir », « éjaculation ». Je ne peux pas les prononcer. Je me force à les écrire ici, pour vous faire comprendre le dégoût et chaque lettre m'écorche la tête. Parce qu'il les a prononcés avant même que je sois assez grande pour les comprendre, des mots de torture, ça existe. « Orgasme » est un mot sale. Je n'arrive même pas à le prononcer correctement devant un psychiatre. J'emmêle les lettres. Il faut tout dire aux psy. Même l'indicible. Là où le mal est enraciné. Je sais bien moi qu'ils ne le déracineront pas. Cet homme m'a forcée, derrière une porte toujours fermée à clé. Si j'ouvre cette porte, un jour, c'est moi qui la refermerai. Moi. Seule. Ma porte, ma clé.

Maman plie un torchon soigneusement dans tous les sens, le déplie et le replie, sur la table de la cuisine.

— La pilule ? Tu veux la pilule à ton âge ? C'est Bruno ?

— Ben oui. Papa est au courant. Il pense que tu dois m'emmener chez un gynécologue, pour que je prenne la pilule.

— Nathalie... toi... tu...

— Maman, ça fait un an maintenant que je connais Bruno.

— Oui, bien sûr, mais...

— Ça vaut mieux que d'être grand-mère ? non ?

— Comme tu as changé...

— On grandit. Papa est d'accord aussi pour que Bruno dorme à la maison le week-end quand il viendra en permission.

— Dans ta chambre ?

— Maman, cette année j'aurai dix-sept ans...

— Tu l'aimes ? Au moins ? Dis, tu l'aimes ?

— Oui.

— C'est pour ça que tu es si triste quand il n'est pas là ? C'est à ce point ?

— Alors, maman, la pilule ? Tu veux bien ?

Il me la faut cette pilule. Je me résigne. Sans elle, je cours à la catastrophe. Surtout en ce moment. Depuis que Bruno est en caserne, j'ai droit au grand jeu. Il faut tenir le coup encore quelque temps. Résister, comme les résistants, les révolutionnaires, espérer le grand jour de la libération. J'ai un plan de libération secret. Me fiancer, avoir dix-huit ans, me marier ou partir avec Bruno. Tout sera fini, propre, je n'aurai rien cassé, fait de mal à personne, surtout à elle, maman.

— Tu sais, on se fiancera un jour ou l'autre. Bientôt... après l'armée...

Rassurée, maman. Son bébé a grandi trop vite, mais quoi, c'est la vie moderne.

— Tu as des copines qui prennent la pilule ?

— Presque toutes, maman, en seconde et en première,

c'est normal. Même les profs sont d'accord. Faut être ringard, maintenant, pour ne pas protéger sa fille. J'ai l'âge.

Elle caresse mes cheveux. Je pleurerais bien un bon coup, contre elle. Mais elle ne comprendrait pas. Nous avons une conversation mère-fille classique. Je suis censée être heureuse, amoureuse, et avoir l'âge de la pilule. Quoi de plus normal dans cette cuisine normale, dans cette maison normale, au sein d'une famille normale ? Si je pleure, là maintenant, plus rien ne paraîtra normal.

— Je vais prendre rendez-vous.

Maman déplie son torchon, et le raccroche au mur. Normalement.

Ce fut atroce, cette visite chez le gynécologue. Atroce. Un brouillard d'atrocité. Je me disais : « Il va le voir. Il va voir l'horreur au fond de ton ventre. Ça doit se voir. » J'étais pleine d'idées idiotes : par exemple, il allait dire après l'examen : « Cette fille couche avec son père. » Comme si la photo de ce salaud pouvait être imprimée en moi. La panique ! Se déshabiller devant un juge, monter sur cette table, avec ces sangles, ces horribles trucs pour poser les pieds... Il n'a rien dit évidemment. Juste constaté que je n'étais plus vierge. Il a posé des tas de questions sur les règles, a fait une ordonnance pour une prise de sang, et une autre pour la pilule. Je l'avais enfin. Dans la pharmacie, je contemplais le nom : Stediril. Stérilité. Une forme de propreté en somme.

Mon petit frère joue avec la boîte de pilules bleues qu'il a dénichée dans le tiroir de ma commode.

— Frédéric, rends-moi ça...

— Eh ! oh... je sais à quoi ça sert... C'est des bonbons pour enlever les bébés qu'on a dans le ventre...

— D'où tu sors ça ?

— Comment ça se fait que t'en as ? C'est les mamans qui en prennent.

— Mais non. Les filles aussi quand elles sont grandes.

Il m'a regardée avec perplexité. Sa sœur avec des « bonbons bleus, pour enlever les enfants du ventre ». Ça le dépassait. J'imagine qu'à neuf ou dix ans, les rapports sexuels sont quelque chose de flou. J'imagine parce que je n'ai plus de souvenirs en ce qui me concerne. Avant j'étais bébé. Après, entre douze ans et demi et quinze ans, c'est le trou noir. L'obsession de la torture a gommé tout ce qui n'était pas la torture. De l'enfance, je n'ai plus que ma peluche. L'inceste a détruit le reste à jamais. Le quotidien, les détails, la couleur du temps, des choses, les visages des autres. J'étais dans mon tunnel. La lumière a brillé à nouveau à l'arrivée de Bruno dans ma vie. Une fenêtre ouverte sur la liberté me permettait de voir enfin le monde. De recommencer à m'intéresser aux autres, consciemment, et non plus dans un cauchemar éveillé. Mais le cauchemar continuait tout de même.

La porte de ma chambre, sacrée, s'ouvre sur la silhouette en peignoir. Je ne veux pas. Pas question qu'il entre là. C'est mon domaine privé. Bruno, la seule vie qui me reste.
Je sors avant qu'il entre.
— Va te déshabiller.
Ordre donné. Il s'en va tranquillement en direction de son bureau.
Je traîne. Je vais dans la chambre de ma sœur en chemise de nuit. Ma cousine est avec elle, les deux filles discutent.
Ma sœur est étonnée :
— Qu'est-ce que tu fais ? Tu dors pas ?
— Je vais demander du fric à papa. J'ai besoin d'une paire de chaussures. A quatre cents balles.
On parle chaussures. Il faut qu'elles dorment. J'ai appris aussi, comme lui, à ne pas prendre de risques. Je reste le temps qu'il faut, pour être sûre.

Dans le bureau, le duvet bleu est par terre. Le duvet est signe de grand jeu. Je passe sur le billard quand le duvet bleu est installé. Ça me rappelle mon opération de l'appendicite. Quand je suis passée sur le billard, sans défense, j'avais mal, on m'a endormie, on m'a ouvert le ventre. C'est la même chose pour moi. Je passe sur le billard. L'anesthésiste c'est lui, la piqûre c'est le shit, le chirurgien c'est lui, j'aurai mal et j'irai dormir après, en convalescence.

Il a déniché une caméra vidéo. Il veut son cinéma porno. La caméra c'est plus facile que d'être sa garce. J'ai de la chance ce soir. T'as de la chance, Nathalie. Vois ça comme ça. Un jour... j'irai dans la cuisine prendre ce couteau. Je le tiendrai dans le bon sens, la lame en l'air.

Si cette saloperie de caméra était un couteau, elle te découperait en cent morceaux.

Voilà deux ans que nous habitions dans cette ville, deux ans que j'aimais Bruno. La vie avec mon père devenait de plus en plus difficile, non seulement pour moi, mais pour ma mère. Elle était lasse de son comportement. Parfois je l'entendais râler toute seule dans sa cuisine, en parlant comme moi : « Y'en a ras le bol de ce connard dans la maison... »

Pour elle aussi alors, c'était un connard. Je découvrais qu'elle le haïssait. Maman était jeune, jolie, alors pourquoi elle ne divorçait pas ? Elle l'avait déjà fait une fois, et ça avait raté à cause de moi. Et voilà qu'elle était prise au piège elle aussi : il y avait trois enfants qui l'empêchaient de foutre le camp, d'être heureuse. Et encore, à l'époque je ne soupçonnais pas son calvaire secret.

Le dimanche était le jour le plus insupportable pour nous tous. A peine levé, il gueulait. Ou son café n'était pas assez fort, ou il était trop froid. Le café... Un homme ne me demandera jamais de lui faire un café. Faire un café à mon père, c'était obéir à son autorité stupide. Il lançait ça en l'air comme un ordre à un esclave :

— Nathalie, mon café !

Je hais le café, je hais les lunettes cerclées de fer, je hais les hommes en Mercedes. Ce que j'aime ? Le rire des enfants. C'est extraordinaire le rire des enfants. Ça nettoie tout. Quand mon petit frère prenait un fou rire, je l'accompagnais comme une chanson à deux voix. On riait, on riait, à pleurer.

Et l'autre, le père, il gueulait après tout le monde. Sa femme, ses filles, son fils. Rien ne lui convenait, en famille. Tout le monde devait la boucler, obéir à celui qui « bossait » comme un fou pour nous nourrir tous. Moi seule savais pourquoi il bossait comme un fou : pour le shit, le porno, les putes.

Un jour, au bureau, j'ai surpris une conversation téléphonique. Il parlait d'un rendez-vous manqué. J'ai entendu ensuite : « Tu es seule ce soir ? Bon, je t'embrasse, on fait comme on a dit ma poule... »

J'ai demandé :

— Qui c'est celle-là ?

— Une cliente, une copine...

Je l'ai vue arriver un jour la « copine ». La mini-jupe au ras des fesses, des talons aiguilles, les cheveux frisés. Peinte comme une star de porno. Sa maîtresse. L'une d'elles, probablement. Elle avait l'air un peu embêtée de me trouver là. Lui pas du tout. Elle s'est assise sur le bureau, en croisant les jambes. Je tapais sur ma calculatrice, je calculais des TVA à toute vitesse, pour pouvoir me sauver le plus vite possible. Elle s'appelait Nathalie... la traînée, elle avait vingt ans à peine... Et il s'est mis à m'en parler, un soir où je passais une fois de plus sur le billard. « Tu devrais te friser les cheveux... Tu devrais mettre des jupes... tu sais, ma copine, Nathalie... j'aimerais bien qu'elle soit là en ce moment... »

Il me comparait à elle. Qu'est-ce qu'il voulait exactement ? Que je devienne une pute ?

Parfois il évoquait même ma cousine Sylvie, la fille de sa propre sœur, sa nièce. Il l'aurait bien convoquée aussi...

L'œil sournois, il me regardait en disant : « Et si on invitait Sylvie ? »

Immonde.

Et pendant ce temps, ma mère sombrait dans une dépression terrible. Somnifères, tranquillisants. Mon père disait qu'elle était dingue, sa famille aussi le disait. Comment peut-on être déprimée en vivant avec un type aussi formidable que lui ? Un travailleur infatigable, un père soucieux du confort de ses enfants ?

Je suis dans ma chambre, dans le noir avec mes bougies allumées comme des petits fantômes. J'entends un pas dans le couloir. Le sien. Maintenant c'est une porte qui s'ouvre, celle de la chambre de ma sœur.

J'écoute sans respirer. Touche à ma sœur, et je te tue, salaud ! Essaie seulement...

La paroi est mince, d'abord je n'entends qu'un murmure, puis la voix de ma sœur :

— Arrête papa, j'aime pas ça !

Elle a gueulé, fort. D'un ton autoritaire. Assise sur mon lit, j'hésite une seconde, prête à bondir, mais la porte claque, et il s'en va.

Plein la gueule le père. Celle-là il ne l'aura pas. Elle ne se laissera pas faire, elle est déjà trop grande. T'as oublié salaud qu'il faut les prendre au berceau ? A l'âge des poupées ? Elle a quatorze ans et déjà des petits flirts, trop tard pour tes sales pattes. De plus elle a mauvais caractère. La nuit s'écoule. Nuit blanche. Toujours peur qu'il vienne frapper à ma porte. Moi, l'esclave de toujours, celle qui ne peut plus parler, tellement elle est coupable, asservie. Il s'est fait jeter à côté, il pourrait bien venir se venger sur moi.

Il a dû aller cuver sa déconvenue à coups de shit.

Le lendemain j'ai observé ma sœur, espérant vaguement qu'elle viendrait me parler. Elle n'a rien dit. Il a tenté de recommencer quelques fois, mine de rien, devant tout le monde, sous prétexte de chahuter. Une main qui traîne sur la poitrine... Mais elle l'évitait tranquillement. Ça lui déplaisait, elle se barrait et il était bien obligé de la boucler. Ça me rongeait de jalousie. Elle, elle avait la possibilité de lui échapper. Moi je l'avais pas eue. C'était injuste. Injuste. Dégueulasse.

Mars 1987. C'est dimanche. Un soleil superbe sur la terrasse. Réunion de famille. On va pouvoir vivre un peu, sans qu'il gueule après tout le monde. Maman est radieuse. Ma sœur, maniérée. Elle grandit en faisant des mines. Crise d'ado à son tour. Je me sens vieille. Mon petit frère joue comme un fou avec une moto miniature.

On a invité la belle-sœur de mon père, son mari et ses enfants. J'entends le bruit, les rires sur la terrasse, en refermant sur moi la porte du bureau. Je suis de corvée de factures, pendant que lui se prélasse au soleil du printemps devant une bière ou un café. Nathalie, c'est l'employée modèle, elle bosse même les jours de fête. C'est bien fait pour elle. Elle avait qu'à fermer sa gueule, quand elle était plus jeune, au lieu de dire : « J'aime ça moi, la comptabilité, papa, t'auras pas besoin d'une secrétaire... »

J'empile les factures, les lettres, j'arrive à me faufiler moi aussi sous le soleil.

Chantal, la belle-sœur de tante Marie me plaît tout de suite. Elle a vingt-deux ans, elle habite sur la Côte, près de la mer, et son mari est marin. Elle en parle avec chaleur, enthousiasme. Elle a l'air heureux. C'est fascinant les gens heureux. C'est fascinant la Côte d'Azur. Ici, on est cernés de montagnes. Je me mets à rêver à la mer, aux mouettes, à une île déserte.

Chantal dit tout d'un coup :

— Si j'invitais les enfants à la mer, pour les vacances de Pâques ?

La pauvre, elle ne sait pas où elle est tombée. Maman va sûrement dire non, elle n'aime pas être séparée de nous. Quant à lui, je sais d'avance. C'est la fin du mois, il faut faire toute la comptabilité pour la remettre à l'expert-comptable. Il va pas me lâcher comme ça. L'occasion est trop bonne de m'enfermer des nuits entières. Cet obsédé a de plus en plus besoin de moi. Maman l'envoie promener, elle le veut plus dans son lit. Ne rêve pas ma pauvre fille, les vacances au bord de l'eau, c'est pas pour toi... Une semaine de liberté, loin, sans sa sale gueule... Une semaine pour s'éclater, rire, qu'est-ce que je pourrais donner au bon Dieu pour que ça marche ?

— Papa, on est jamais partis nulle part... Juste une semaine...

— J'ai dit non, c'est clair ? Qui va me faire la compta, pendant que tu iras rigoler sur la plage ? Tu restes à la maison, et on n'en parle plus.

Bruno est dans sa caserne. Maman se tait. Je suis abandonnée. Il me la faut cette semaine de liberté.

— Bon, écoute, je te propose un marché, ce soir je bosse bien, demain aussi, je finis tout, et mardi tu me laisses partir avec Chantal...

Chantal sourit à mon père pour l'amadouer.

— Elle le mérite... non ?

— Pas question. Ton frère et ta sœur, d'accord, mais pas toi.

Le regard que pose Chantal sur lui en dit long. Moi je traduis : « Pauvre mec, sale type. » Elle l'a senti, elle ne l'aime pas. J'aime les gens qui n'aiment pas mon père d'instinct, dès la première rencontre. Ça me soulage.

— Retourne travailler, puisque tu es si maligne... On a pas fini... Tu crois que le travail c'est de la rigolade ?

Il y a un froid sous le soleil de la terrasse, et je file doux. Il me suit, raide de colère. Porte du bureau fermée à clé en plein jour, ça promet. Le vide, le silence, la terreur me reprennent. Je suis punie d'avoir espéré.

Il débite son discours que je n'écoute même pas, jusqu'à ce que j'entende :

— ... Et puis si tu partais une semaine, on ne se verrait plus, on serait loin l'un de l'autre. Tu vas me manquer, je n'aime pas te savoir loin...

Monstre de salopard. T'as peur que je t'échappe. T'as besoin de faire tes horreurs tous les soirs. Des filles de rues, ta femme, moi... Espèce de malade.

— A moins que...

Quel piège va-t-il encore inventer ?

— A moins que nous rattrapions le temps perdu. Oui c'est ça. En deux nuits, on peut faire le travail d'une semaine. Ce soir tu finis la facturation, et après on reste ensemble... hein ? Rien que tous les deux... Nous aussi on va faire la fête à notre façon... C'est ça, la bonne idée... Je suis content... pas toi ?

J'ai rien à répondre, moi. Rien, salaud ! Tu peux prendre ce silence pour un accord. Qu'est-ce que je peux faire d'autre ? Des mots tout ça. Si je dis non, j'y passe quand même. Va te faire voir.

Il est retourné sur la terrasse, un sale sourire sur ses lèvres minces, méchantes. Il a annoncé triomphalement à tout le monde, comme un papa gâteau, qu'il était d'accord.

Monsieur voulait bien céder. Les enfants partiraient, à condition que Nathalie, vous savez la conne qui fait les factures tous les jours, fasse tout son travail. Tout son travail.

Et tout le monde était content, tout le monde applaudissait... l'artiste. L'artiste n'avait qu'à tenir bon deux nuits. Qu'est-ce que c'est deux nuits ? C'est rien...

J'ai tenu bon. L'artiste a fait tout son travail. TOUT.

Et le mardi, quand j'ai mis mon sac dans la voiture de Chantal, vous voulez que je vous dise, j'étais fière de moi. J'avais gagné ma semaine sur la plage, au soleil. Je pourrai dormir seule, tranquille, sans avoir la trouille d'entendre : « Va te déshabiller », et tout le reste. J'avais gagné un peu de bonheur, à la force du dégoût. Comme une prostituée gagne l'argent de son loyer, ou la bouffe de ses mômes, ou le prix de l'alcool qui lui fera oublier qui elle est. Voilà, j'étais fière, heureuse, heureuse, heureuse, bon sang. Grâce à cette femme. Elle m'aimait bien, moi aussi. Je regardais ses cheveux noirs frisés, son joli tailleur, son beau sourire, sa désinvolture. J'éclatais de plaisir. C'était la première fois de ma vie que j'échappais aux barbelés de mon camp, à mon tortionnaire, j'allais vivre pendant une semaine... Putain de cadeau sur l'autoroute du Soleil...

Et au loin, dans la lumière, à l'horizon de l'échappée définitive, il y avait mes fiançailles avec Bruno, mai 1987, mon ticket de sortie.

Pour l'instant il me venait une espèce de tranquillité sournoise dans la tête, une terrible envie de chasser les mauvais moments, les mauvaises gens.

On a roulé pendant cinq heures, et pour la première fois sur cette route de liberté, j'ai repensé à mes envies de suicide. Lucidement. Pourquoi me suicider ? Arrêter la vie ? Pourquoi la mienne et pas la sienne ?

Je me revoyais quelques mois en arrière, un couteau à la main, n'importe quel couteau, tous les couteaux étaient bons. Ceux de la cuisine qui coupaient mal, celui du rayon charcuterie qui tranchait bien, même le couteau à beurre, inoffensif. Il suffisait qu'il y ait une lame. Je me revoyais assise à table, les jambes croisées, une serviette posée sur les genoux, avec une musique poétique et lointaine dans la tête qui me vidait l'esprit, et fixant mes yeux sur la mort. La mort qu'on ne voit pas arriver. Celle qui vous prend par surprise, qui vous attend au tournant de la rue. Moi j'attendais une mort qui ne venait pas. Elle me détestait cette mort, elle me haïssait, elle n'avait pas envie de s'occuper de mon cas. Je la suppliais pourtant, je me mettais à genoux pour qu'elle comprenne que j'avais besoin d'elle. Il fallait qu'elle me donne un coup de main, il fallait qu'elle me tue.

Qu'importait le moyen, il me fallait une main de mort secourable. Il fallait crever, se retrouver là-haut. Là-haut, je pourrais m'occuper de son cas, lui en faire baver. Je vivais en permanence avec une voix intérieure qui me parlait de mort. Des millions de voix en une, parlant toutes en même temps, et des millions de couteaux me hurlaient : « Tue-le, tue-le. Tue-toi. »

Dans la voiture des vacances, libre, libre à m'en crever les poumons, j'ai secoué la tête une dernière fois pour que ça s'arrête. Non. Je ne voulais ni mourir, ni être punie à sa place. Oui, le mal venait de lui, pas de moi.

Enfin c'était clair dans ma tête, fini la lâcheté, les tentatives de suicides, l'esclavage. Je n'étais plus seule au monde, j'avais un espoir : Bruno.

Un but, tuer mon père.

Tout au long de la route, je n'avais que cette idée en tête. Tuer mon père. Être tout près de lui, à l'intérieur de lui avec une lame fine et longue, et la tourner dans tous les sens. Le faire souffrir comme j'avais souffert. Tout lui arracher, comme il m'a arraché ma virginité, mon corps, ma pureté, mon enfance. L'entendre hurler de douleur et de souffrance pendant des nuits et des nuits. L'enfermer dans une cave, pour le torturer, et que tout le monde entende ses plaintes, puisqu'on n'a pas entendu les miennes.

C'était mon rêve sadique. Voilà à quoi me menait une semaine de liberté au soleil, une semaine loin du bourreau.

J'avais un seul ami, le couteau, l'idée du couteau, tous

les couteaux du monde. Le couteau ne m'abandonnait pas lui, il était le seul à ne pas me laisser tomber.

Ça vous effraie ? C'est que vous ne savez pas ce que c'est que l'inceste. Ce que c'est qu'un père qui vous flagelle pendant des heures, parce que vous n'arrivez pas à jouir. Vous ne savez pas ce que c'est que d'être nue à côté de son père nu, devant lui, sous lui, à sa merci.

J'ai mis des mots noirs sur le blanc de ce livre, mais c'est insuffisant pour le faire comprendre. Quand vous arriverez au bout de ce bouquin, votre vie n'aura pas trop changé. Juste un peu dans la mémoire.

Mais la mienne de mémoire, je ne peux pas la changer. Toute ma vie j'aurai ce mot en moi. Inceste. C'est indélébile. Rien ne le fait disparaître. Pas de dissolvant, pas de savon. On peut toujours s'arracher la peau, il est là, visible à jamais. Pour moi, pas pour vous.

On peut se tutoyer maintenant, toi qui me lis. T'as fait un effort, tu me plais, t'as choisi de bouquiner le dur, pas la facilité. Tu t'es bougé le cul, enfin, alors je t'aime bien. Parce que t'es quelqu'un de bien, puisque tu t'intéresses un petit peu à moi. Si tout le monde faisait comme toi, y aurait plus d'enfants battus, salis, violés.

Je rêve d'un monde sans sadiques. Aide-moi. Chaque fois que tu verras un enfant, regarde-le bien, aime-le. Aide-le s'il tend une main peureuse, donne-lui de l'amour comme on donne du pain. Sauve-le de sa misère morale, comme de la famine. Fais-le, tu peux le faire, puisque tu ne ressembles pas à ce salaud.

La mer. Les bateaux de pêcheurs, la douceur de l'air. Je n'ai plus de soucis ni de rage, plus d'angoisse.

Dans l'appartement lumineux, il y a un chat, Gribouille. Et l'ami de Chantal. Un homme jeune, gai, enthousiaste, un marin. Il m'explique la marche des vagues.

— Regarde, quand la septième vague arrive, c'est la plus

forte, la plus puissante, tu peux sauter dessus comme sur un cheval au galop, elle t'emmènera loin.

Ma sœur veut aller voir la septième vague de près. Le petit frère aussi, moi je voudrais rester au calme, écrire à Bruno, me reposer. Je n'ai pas de repos depuis si longtemps.

— Allez, viens quoi! On dirait une petite vieille...

Je suis vieille. Je pourrais dormir sans m'arrêter. Ils ne savent pas que mes vacances à moi, c'est l'absence de peur. C'est beau la mer, mais c'est encore plus beau un lit propre, à des centaines de kilomètres de l'horreur.

Nous comptons les vagues sur le ponton, quatre, cinq, six, sept et la septième nous gifle avec fureur.

Je cours avec elle, je m'éclabousse de liberté, de bonheur. La mer est une bonne âme. Le ciel m'a laissé tomber, mais je l'ai trouvée, elle. Elle m'a comprise, elle me lave en profondeur, me roule dans le sable, me rend bleue comme elle. C'est mon paradis retrouvé.

Si je pouvais y demeurer pour toujours, dans cette eau bleue, je me sentirais propre.

En retrouvant la terre, la rue, l'appartement, le lit qui m'attend, je retrouve aussi la saleté.

Illusion des vagues. Je suis toujours la Nathalie sale. Celle qui se lave, se frotte sous la douche, comme une dingue, avant de s'allonger dans un lit propre. Pour ne pas le salir, lui.

Chantal entre dans la chambre qu'elle partage avec moi, s'assied, me regarde bizarrement.

— Tu vas dormir comme ça? Tout habillée?

— J'ai l'habitude.

— Mais il fait chaud ici... c'est ridicule.

— Je suis frileuse, je dors toujours comme ça. J'y peux rien.

— Écoute, Nathalie, c'est pas bien de dormir comme ça.

— J'ai sommeil.

— Enlève ton jean... au moins.

— Mais non. Ça va. Je t'assure... On dort ? J'ai sommeil.

Je ferme les yeux pour qu'elle n'insiste pas. C'est la première fois que quelqu'un me voit dormir tout habillée. Elle hésite à poursuivre, trouve mon comportement bizarre, voudrait comprendre.

Je ne suis pas à la maison. Il ne va pas surgir dans la nuit, me toucher avec ses grosses mains dégueulasses, mais j'ai peur quand même. Je dois me protéger.

— Bonne nuit, Nathalie, fais de beaux rêves...

Cette semaine a passé si vite, j'ai eu l'impression de sortir d'un coma, lorsque la veille du retour est arrivée. Nice, Antibes, Cannes, Juan-les-Pins, la mer partout, la septième vague qui m'emportait comme un cheval au galop. Fini. Retour au maudit.

Chantal m'aide à boucler ma valise. Songeuse.

— Tu sais, quand je t'ai vue chez toi, la première fois, je t'ai trouvée froide, hargneuse presque. Tu avais l'air d'en vouloir à tout le monde. Aujourd'hui je crois que tu vas mieux.

— Je sais. Des fois je me rends pas compte de la gueule que je fais. C'est pour ça que je préfère rester seule, d'habitude, comme ça personne m'emmerde et j'emmerde personne.

— Tu étais bien ici avec nous ?

— Si je pouvais, je resterais. Si je pouvais, je ne retournerais plus jamais là-bas.

— Qu'est-ce que tu racontes ? Là-bas, c'est chez toi, c'est ta famille ! Ils t'aiment. Ton père t'a appelée tous les soirs.

— A une heure du matin, tu veux dire... J'appelle pas ça de l'amour. D'ailleurs c'est le dernier de mes soucis...

— Allons, ne dis pas ça, Nathalie, tu aimes ton père, j'en suis sûre. Il faut que tu sois contente de rentrer. Ici, c'était les vacances.

— Me demande pas d'être contente. Quand j'aurai dix-huit ans, je me tire. Je reviendrai ici. J'en peux plus de vivre là-bas. Tu m'aideras si je reviens ?

— Bien sûr, mais explique-moi pourquoi ?

— C'est la première fois que j'en dis autant. La première fois aussi que quelqu'un me parle vraiment, avec de vrais mots, de l'amitié sincère.

Ma sœur entre dans la chambre et je me tais. J'en ai trop dit de toute façon.

Dix-huit ans. Je les aurai le 29 décembre 1988. C'est encore loin. Un peu plus d'un an de prison à tirer. Un an de cellule.

Mais il y a Bruno et l'espoir. Mais il y a Chantal, mon amie, la mer et la septième vague qui me fera évader.

Dans un an, je ferai mon sac pour de bon. Dans un an, je taillerai la route toute seule, il ne pourra rien contre moi, j'aurai la loi dans mon sac. Et toutes mes forces vives. Je ne veux plus mourir, jamais. Pendant huit jours, j'ai goûté à la vie. La vraie vie, je sais à quoi ça ressemble, maintenant. Je vais pas lâcher ça ! Je vais planter des piquets de survie en attendant. Mes fiançailles avec Bruno, c'est le premier piquet. Je me fous pas mal de la bague, c'est le principe dont j'ai besoin. Appartenir officiellement à un homme. On a fixé la date tous les deux, c'est pour le mois de mai 1987, dans quelques semaines. Après ça, je tiendrai le coup, je fermerai ma gueule jusqu'en décembre 1988. Ça fera cinq ans de taule. Payés d'avance. L'essentiel est qu'il n'y ait pas de dégâts pour maman, pour ma sœur, mon frère. Que la saleté ne remonte pas à la surface, avant moi. Qu'elle ne me recouvre pas devant tout le monde. Parler, dire les choses, accuser, c'est m'accuser moi-même. Je dois me démerder avec ça. Être seule à me juger moi et à le condamner lui. Et me tirer.

Je n'avais pas encore dix-sept ans, et j'ignorais que j'allais parler bien avant. J'avais planifié la fuite et le silence.

197

Je croyais pouvoir tenir et m'en sortir comme ça. Comme ça comment? Allez savoir! Tenir, c'était toute l'histoire. Une course de fond, un marathon pourri, avec une ligne d'arrivée en forme de *Happy Birthday Nathalie,* souffle les bougies et barre-toi avec ton fiancé, saute sur la septième vague, va noyer ton secret dans la grande bleue. Va l'étouffer à jamais.

Enfantin. Je sais. Contradictoire. Il n'y a que la vérité qui lave, et encore... Ça ne fait pas du cristal.

Le visage gris, maman nous accueille avec un sourire triste. Elle semble brisée de l'intérieur comme une poupée mécanique qui ne fonctionnerait plus. Il a dû lui en faire baver cette semaine. Il lui faut une victime en permanence, je n'étais pas là, c'est elle qui a pris. Je le vois bien, je sais reconnaître la souffrance muette maintenant. Ils ne s'entendent pas depuis des années, et depuis des années elle le supporte à cause de nous. C'est trop con.

— Maman...

Maman... maman sœur de souffrance, je la console avec mon bonheur d'une semaine de liberté. Tout est faux, rien n'est jamais dit. Mais j'ai un truc en plus, une faille que je rapporte de la mer. Je me suis construit tant bien que mal, jusqu'ici, une carapace de résistance, et cette petite escapade l'a entamée. Quand on a connu une goutte de liberté,

199

on voudrait tout le flacon. Elle nous serre dans ses bras, tous les trois. Heureuse de nous retrouver, malheureuse de ce bonheur vécu sans elle. Elle nous regroupe contre elle, nous sommes les morceaux du puzzle qui lui manquaient. Je comprends mieux ce que je répète à l'école, et à tous ceux qui me questionnent depuis des années. Quand je dis : « Mes parents ne s'entendent pas, mes parents se bagarrent », j'ignore dans les détails de quoi je parle. Aujourd'hui, dans la lumière de ce retour, je contemple le désastre en relief, sur ses yeux cernés, ses lèvres serrées sur le malheur, l'échec de son mariage.

J'entends crier dans la cuisine après ma sœur. Crier, non. Hurler :

— Sophie, fais un café en vitesse !

Hitler nous accueille. Il reprend le pouvoir sur ses esclaves à domicile. Bon Dieu, si je pouvais reprendre mon sac, et filer entre les barbelés.

Dans le jardin, il hurle toujours, après mon frère cette fois. Le gamin prend une balle de tennis dans la tête. A quoi rime ce déchaînement ? On dirait que sa petite troupe lui a manqué comme une drogue, qu'il a emmagasiné la bile de son pouvoir sur nous, et la déverse d'un coup. Il ne nous a pas vus depuis une semaine, et tout ce qu'il trouve à faire, c'est de balancer une balle de tennis à la tête de son gosse.

Il est fou. C'est un dingue en liberté.

Je le vois de dos, assis dans la cuisine, je ne lui ai pas encore parlé, même pas dit bonjour papa... Ma sœur lui sert le café, il boit une gorgée, la recrache en gueulant :

— Vous me faites chier ! Vous êtes toutes des connasses ! Même pas capables de faire un « caf » correctement ! C'est trop vous demander merde !

J'ai envie de lui balancer la cafetière dans la tronche. Au lieu de ça, je prends un ton calme et supérieur pour dire :

— Écoute, papa... je vais le refaire, mais calme-toi.

Je pose la tasse, je le regarde boire avec un sale plaisir de dégoût. Il est bon mon café, salaud. Bois-le et crève.

Je cours dans ma chambre pour me calmer les nerfs. Chantal mon amie, ma liberté, assiste à ce retour familial, avec stupéfaction. J'espère qu'elle comprend ce que j'ai tenté de lui dire.

— Tu vois ? Tu vois comment il est ?

— Ne pleure pas, calme-toi, il est énervé c'est tout, ça arrive à tout le monde. Arrête de pleurer, ça ne sert à rien.

— C'est tous les jours comme ça. Tu comprends ? Non tu ne peux pas comprendre. J'en ai marre. J'en ai ras le bol.

— Ça va s'arranger... ne pleure pas. C'est pas facile sûrement, il a mauvais caractère, mais bientôt tu seras majeure, les choses seront différentes et tu pourras venir me voir à la maison.

— Je peux plus le supporter. Je ne veux plus vivre ici, je te jure que je peux plus.

— Allons, allons...

Elle me berce, me console comme un bébé. Ne pose pas de question indiscrète. Une fois de plus, l'abcès se referme. Je me calme. Pas le courage de faire jaillir le pus qui m'empoisonne. Il empoisonnerait tout le monde en même temps que moi.

Des banalités. Voilà ce qu'on dit, même en plein malheur. Des trucs du genre : « J'en peux plus, je voudrais me tirer, c'est un con. »

Ne pas s'étonner alors qu'on vous réponde d'autres banalités, style : « Ça passera... C'est un mauvais moment. » Chantal est repartie vers la mer et le soleil, vers sa liberté. Je me suis retrouvée en taule, avec cette fois la certitude que je n'y étais pas seule. Ma mère aussi. Quand on est môme, on ne sait pas ce qui se passe vraiment entre son père et sa mère. J'ignorais qu'elle subissait les mêmes sévices que moi. Comme elle ignorait les miens. Ce dingue avait deux femmes en son pouvoir, comme un pacha de harem. Il avait réussi, en plus, l'exploit qu'elles n'en parlent pas entre elles. Ma mère par pudeur. Moi par culpabilité. Maintenant que je sais, c'est pire. Mais où est le pire, merde ? J'arrête pas de supporter le pire. Chaque souvenir est pire que l'autre.

10 mai 1988. C'est une date. Un dimanche. L'anniversaire de maman. Elle avait prévu d'inviter des amies dans l'après-midi pour le fêter. C'était une bonne journée en perspective. Elle était partie de bonne heure pour emmener mon frère à une compétition de judo. J'étais seule dans la maison. Bruno devait repartir en caserne ce jour-là. Un mois sans lui. Je lavais la cuisine, il était onze heures du matin. J'étais presque calme. La serpillière, le balai brosse, l'eau de Javel, j'aime bien laver. Désinfecter un carrelage, le faire briller, traquer la moindre trace, ça me lave aussi. Le soleil par une fenêtre, l'odeur de propre, c'est un soulagement.

— Fais-moi un café en vitesse !

Il est là, dans son peignoir marron, à peine réveillé, sale, dégueulasse de tout ce qu'il traîne dans sa tête. Les mains sales, la bouche sale qui crie :

— Grouille-toi !

— Tu peux pas attendre un peu, c'est mouillé par terre.

— Tu vas me faire un café oui ou merde ? Vous commencez à me faire chier dans cette baraque !

Il a sa tronche des mauvaises nuits, il a dû accumuler les joints, se saouler de porno tout seul, dans son coin comme un malade.

Ma sœur est assise sur une marche d'escalier, dans l'entrée, elle chiale comme une madeleine.

— J'ai un point au cœur, Nathalie. Il m'a engueulée, je sais pas pourquoi.

Elle tremble d'énervement. Je m'assieds près d'elle sans parler. Ne pas répondre, ne pas discuter. Il est là devant nous, assis dans la cuisine, dans son machin marron, devant son putain de café qu'il n'arrive même pas à sucrer, ce malade.

Il faut attendre le calme. Ne pas faire de bruit, ne pas se

plaindre. Fermer sa gueule. Toujours fermer sa gueule. Il délire de plus en plus, depuis notre retour. Un vrai parano. Maintenant il nous regarde, assises sur ce con d'escalier, comme des chiens abandonnés. Aucune pitié pour les larmes de ma sœur. Il a voulu la faire entrer dans son harem, elle l'a envoyé se faire voir une bonne fois, alors elle va payer sur les détails, sans comprendre.

On attend maman pour bouger. Quand elle est là, c'est elle qui prend. C'est comme ça qu'elle nous protège de son mieux, contre les éclats de dingueries. Personne ne sait ce qui les déclenche. Ça part toujours sur un détail de service. Car nous sommes à son service.

— Qu'est-ce qu'il y a ?

Maman a compris immédiatement qu'il s'était passé quelque chose.

— Oh rien ! Il gueule comme d'habitude après des conneries...

— Je vais annuler les invitations. C'est pas le moment. J'ai pas envie que mes amies le voient comme ça.

Voilà, elle aussi se tait devant les autres. On cache. C'est moche d'étaler tout ça devant les autres. Tout ça quoi... je sais plus, lui, en fait. C'est lui la mocheté qu'il faut cacher aux autres, comme si on était coupables de vivre avec lui.

Bruno arrive. Il vient dire au revoir, déjeuner avec nous, comme dans une famille normale. Comme un fiancé normal. Et, soudain, il se calme. Qui pourrait croire qu'une minute plus tôt il voulait foutre une raclée à tout le monde ? Devant Bruno, mon Bruno à moi, il joue la comédie du papa tranquille.

Déjeuner coincé. On essaye tous de ne pas provoquer une nouvelle crise. Il ordonne, on obéit. Le seul fait de lui passer une carafe d'eau, ou un morceau de pain, est une humiliation de plus. Pour nous, les femmes. Bruno ne ressent pas la tension, mon petit frère oublie, il est trop petit pour se consacrer au drame plus de cinq minutes. Déjeuner-comédie.

Maintenant il accueille sa famille, ses copains. Ils

débarquent en commando, les admirateurs du nazi en chambre. Sa sœur qui l'a élevé et le porte aux nues. Ses copains de soirée porno, de virée chez les putes de Lyon. Fumeurs de joints et rigolos ringards.

Réfugiées dans le salon, maman, ma sœur et moi, nous contemplons les inepties dominicales de la télé.

— Nathalie, viens servir à boire à tout le monde !

Obéir. Fermer sa gueule. Recevoir des ordres. Depuis mon retour il est déchaîné. Quelque chose que je ne comprends pas l'a atteint. La peur que j'aie parlé, ou bien le fait qu'il ne supporte pas qu'on lui échappe, même une minute... ou encore un semblant de révolte qui pointe en nous. Nous, ma mère et moi.

Je pleure dans le couloir sombre, impossible de m'en empêcher. Ça déborde. Ma mère passe.

— Maman, j'en peux plus. J'en ai marre.

Brusquement un déclenchement.

— Va préparer tes affaires on s'en va.

Elle court dans la chambre de mon frère :

— Fred, prends tes affaires on s'en va. Allez les filles dépêchez-vous... On s'en va ! Je vous dis qu'on s'en va, maintenant !

Enfin ! Enfin elle éclate. Enfin une parole sensée. Partir. Nous allons partir ! Nous sortons de la maison, en courant, comme s'il y avait le feu à l'intérieur, maman nous pousse, nous traîne, nous guide, ouvre les portières de sa voiture, on s'engouffre dedans, tout va si vite... Elle démarre, recule, les pneus crissent sur le ciment de la cour, nous attendons l'élan du moteur vers la rue, et soudain elle freine. Une voiture nous bloque l'entrée. Celle d'un copain de mon père. Impossible de passer. Maman ouvre la portière, pousse mon frère dehors :

— Va dire à Thomas de retirer sa voiture, dépêche-toi.

Frédéric, le pauvre gosse, court faire le commissionnaire. Et je me dis que ce type a fait exprès de mettre sa voiture là... C'est foutu. Tout le monde sort, pour nous regarder. Mon père en tête. Il contemple son cheptel, entassé dans la voiture... coincé, évasion ratée. Il s'approche de la portière, l'ouvre, et ordonne à ma mère :

— Descends de là !

Je me souviens plus de ce qu'il a dit ensuite. Je me revois raide de peur sur l'autre siège, j'entends des mots sans les comprendre. Je vois maman se mettre à le frapper à coups de poings. Je me dis à ce moment-là, qu'il va lui faire du mal, que c'est de ma faute. J'ai eu l'audace de dire que j'en avais ras le bol, elle va payer à ma place. Je me vois sortir de la voiture et me mettre entre eux pour les séparer. Je ne sais pas ce que je crie, ce qu'il crie, c'est un cauchemar flou, dont j'ai perdu le son. Il entraîne maman dans la maison, on se retrouve dans le salon. Il lui a arraché les clés de la voiture, et il repart en nous laissant là. Il retourne vers sa famille, ses copains, jouer le maître des lieux.

Combien de temps sommes-nous restés là, serrés les uns contre les autres, à pleurer, à essayer de consoler maman, sans y arriver ? Il faisait noir quand il est revenu. Pas de lumière, sauf celle du couloir. Je ne voyais que nos ombres, assises sur le canapé et lui debout devant la porte. Il fouille dans sa poche, sort les clés de la voiture et les jette sur maman :

— Si tu veux te casser fais-le ! J'ai pas besoin de vous pour vivre, je peux me démerder tout seul.

Et il s'en est allé dans son bureau en claquant la porte.

Et on ne bougeait pas. Maman était là avec ses clés à la main, elle ne disait plus « on s'en va ». On ne courait pas à la voiture. On ne s'évadait plus. Englués de nouveau. Il fallait faire quelque chose.

C'était à moi de le faire.

— Maman, je vais lui parler. Je vais lui dire ce que je pense de lui.

— Non. N'y va pas, il est trop énervé.

Je ne comprends pas. Elle a les clés de la liberté en main, il suffirait de traverser cette pièce, de franchir la porte, et elle reste paralysée.

— Maman, laisse-moi y aller !

La violence me démange. La furieuse envie de lui balancer tout à la figure, de prendre les choses en main. De l'humilier à mort, et de partir la tête haute !

— Reste tranquille.

La porte claque à nouveau, il revient :

— Bouge-toi Nathalie, tu vas me taper une lettre, en vitesse. Et dépêche-toi, vous m'avez fait assez chier !

Maman n'a rien dit. Il y a eu ce silence, et l'instinct de révolte qui avait animé ma mère quelques instants plus tôt s'est effacé. Pourquoi ?

Je me suis levée, je suis allée dans le bureau. J'ai vu le brouillon de la lettre à taper. Je me suis assise, j'ai tapé la lettre, je l'ai retirée du rouleau d'un geste sec, en espérant l'arracher, mais le papier a résisté. Alors je l'ai claquée sur son bureau. En un millième de seconde il me fallait trouver quelque chose à dire pour ma défense, pour notre défense. Il me regardait fixement, comme s'il voulait m'hypnotiser de sa colère. Mes jambes tremblaient, ma gorge était nouée, j'ai pris mon courage à deux mains, pour dire :

— Ce que tu as fait aujourd'hui c'est dégueulasse. Tu savais qu'on voulait fêter l'anniversaire de maman. Mais t'en as rien à foutre. T'es vraiment un con dans ton genre, tu me dégoûtes.

J'ai dû répéter plusieurs fois le dernier mot. « Tu me dégoûtes, tu me dégoûtes, tu me dégoûtes. » Je ne trouvais rien d'autre. Et lui :

— Ne me parle pas sur ce ton. T'es gonflée ! C'est vous qui m'empoisonnez l'existence, vous me faites chier t'entends ? Vous faites tout le temps la gueule, personne ne veut y mettre du sien dans cette foutue baraque ! Vous allez

206

voir, ça va changer, c'est moi qui commande ici, et vous allez en baver !

Je l'affrontais pour la dernière fois, dans ce bureau maudit, sa tour d'ivoire de merde. Je n'en étais pas consciente, les choses allaient plus vite que moi. J'ai mis ma main sur la poignée de la porte, il a hurlé :

— Où tu vas ? Tu restes ici ce soir ! Avec moi !

Pas question. Ça non, il n'en était pas question, il pouvait me tuer, mais pas question. Je me suis avancée vers son bureau de ministre à la noix, j'ai plaqué mes deux mains sur la table, je l'ai regardé bien dans les yeux, il y avait bien longtemps que je ne pouvais plus le regarder comme ça, en plein dans les yeux.

— Qu'est-ce que t'as dit là ? Tu veux que je reste avec toi ce soir ? Pas question.

— J'ai dit que c'était moi qui commandais !

— T'as pas réalisé que ça fait cinq ans que tu m'emmerdes ? J'en ai marre, maintenant c'est fini !

— Tu la fermes et tu restes avec moi !

— Non. Non et non. Et non et non.

J'ai filé aussitôt vers la porte, pour aller me réfugier dans le noir du salon, à côté de ma mère.

— Qu'est-ce que tu lui as dit, Nathalie ?

— Que c'était un con.

— Tu as eu tort...

Il fallait lutter contre elle à présent ? Comment faire sans lui dire le reste ?

— Tu n'as fait que l'énerver davantage. Il faut tenir le coup, encore un peu. On va partir, demain, après-demain, mais on va partir je te le jure...

Le plan était d'éviter les coups, de lui faire croire qu'il avait gagné, qu'il commandait encore, pour pouvoir se tirer en douce.

Hitler était de retour, hurlant toujours, des bruits de bouteilles cassées dans la cuisine, des jurons, un ordre :

— Nathalie ! ramasse !

Nous nous affrontions à nouveau du regard. Il voulait

passer, je le gênais. Il s'est énervé, il a dû lever la main pour me frapper, je ne m'en suis pas rendu compte, et ma mère s'est jetée sur lui, pour lui cogner dessus...

C'était horrible ce désordre, ça n'en finissait plus. Une bagarre immonde, dont plus personne ne connaissait le prétexte de départ. Dont nous étions « seuls », lui et moi, à connaître la vraie raison. Ma mère croyait connaître la sienne, ma sœur et mon petit frère croyait avoir affaire à un père brutal, ou ivre. C'était gluant, incompréhensible. La tête me tournait, j'entendais pleurer, crier, frapper, il a envoyé mon petit frère dans sa chambre, il a à nouveau jeté les clés de la voiture au visage de ma mère, en lui répétant de se tirer, de se casser, de disparaître, qu'on lui empoisonnait la vie, qu'on pouvait partir où on voulait, il s'en foutait, il vivrait mieux sans nous. Quand il est reparti en claquant à nouveau la porte de son bureau, j'ai vu qu'il avait cassé les carreaux de la fenêtre de la cuisine, qu'il avait bousillé tout ce qui lui tombait sous la main.

Nous avions tous peur. Il avait réussi à nous terroriser au point que plus personne n'osait bouger. Ma sœur collée contre un mur, ma mère effondrée sur une chaise, et moi debout, sous le choc. Les hurlements résonnant à l'infini dans mon crâne, j'ai pissé sur moi. De peur. La vraie peur. Celle qui t'empêche de bouger. T'es là, comme un pion, tu t'attends à prendre des coups à chaque seconde, et tu te pisses dessus. Un animal. Il nous avait transformés en un minable petit troupeau animal paralysé de peur.

Je sais qu'on est allés se coucher chacun de son côté. Je sais que je n'ai pas dormi de la nuit, recroquevillée de trouille, transpirant sous les couvertures, espérant être invisible au cas où il reviendrait pour avoir le dernier mot. C'était stupide, et inefficace, je m'en rends compte maintenant. Mais je n'avais rien d'autre à ma disposition. Je me souviens aussi d'avoir prié à l'aube, pour remercier Dieu de m'avoir laissée seule dans ma chambre. De m'avoir épargné cette fois la torture, la ceinture, l'inceste obligatoire. Sacré bon Dieu, il en avait mis du temps à comprendre. A m'aider. A faire éclater la famille, pour me donner la force de résister. De dire non, et de gagner.

Encore un jour, ma mère au travail, moi au lycée, les gosses à l'école.

Il est parti, comme si rien ne s'était passé. Comme s'il nous avait dominés pour de bon.

Et pourtant l'abcès venait d'éclater. Sur un détail idiot. C'est drôle comme les situations les plus compliquées peuvent se dénouer brutalement sur un détail. La goutte d'eau. Celle qui fait déborder le vase. Une goutte de violence en plus, une goutte d'autorité infantile, une tasse de café...

C'est fou quand j'y repense. Cette journée importante avait commencé sur une tasse de café ratée. Une de trop.

Le tyran avait perdu.

J'écris ces lignes au moment où défile, sur tous les écrans de télévision, la mort du tyran roumain. Un peuple sous influence s'est libéré de son Hitler, de son Dracula. Un jour, il a trouvé le pouvoir de dire non.

Nous étions aussi un petit peuple sous influence d'un tyran, d'un tortionnaire.

Seulement voilà, je n'ai pas l'image du tyran mort devant les yeux. Je ne peux pas me rassasier de ce spectacle, me convaincre que la bête est morte et ne nuira plus.

Il était donc parti travailler tranquillement comme d'habitude. Et, pendant ce temps, nous le petit peuple, on organisait la fuite. C'était notre seule solution, mis à part celle qui me trottait dans la tête depuis des années. Moi, un couteau et lui.

J'ai téléphoné à Chantal, là-bas au bord de la mer. C'était le refuge qu'il nous fallait, d'abord parce qu'elle était devenue notre amie, qu'elle avait compris, et aussi parce qu'il ne connaissait pas l'adresse. Elle ne comprenait rien. Elle nous demandait de réfléchir aux conséquences, on n'abandonne pas une maison comme ça, toute une vie. Quelle vie ?

— On n'a pas de vie, Chantal. Avec lui c'est pas possible. C'est fini, maman veut divorcer, et nous on veut plus de lui.

Elle a fini par comprendre, et promis de venir nous chercher le lendemain, mardi.

Je suis allée prévenir les parents de Bruno que je partais, qu'ils ne s'inquiètent pas. J'étais adulte. Ce départ c'était ma majorité, la vraie.

Le lundi soir, on devait faire nos valises en douce, avec le minimum, comme des voleurs, dans le noir, et les glisser sous les lits.

Ma mère est allée voir les gendarmes pour leur poser une question importante. Que se passerait-il dans le cas où elle quitterait le domicile conjugal ? La réponse nous a effondrés. Si elle partait avec les enfants, le père conservait tous les droits sur le plus petit, Fred, mon frère.

Maman était revenue vingt ans en arrière, à l'époque où elle avait voulu se sauver une première fois avec moi, bébé. On ne se sauve pas comme ça. Le père, même si c'est un monstre, a des droits. Des droits...

— On ne part plus les filles...

Elle était blanche en disant cela. Presque transparente.

Je ne pouvais pas reculer. Je refusais d'obéir à une pression de flic.

— Nathalie, il y a des choses que tu ne sais pas. Quand tu étais petite, que j'ai voulu m'enfuir avec toi, il a menacé de me tuer, si je t'emmenais. C'est pour ça que je suis restée.

— Il l'aurait pas fait ! C'est des conneries.

Quand je pense qu'elle a eu peur. J'ai vécu tout cela, toute cette horreur, parce qu'elle a eu peur qu'il me tue à l'âge de deux ans. Ça aurait peut-être mieux valu...

— Maman, si tu ne pars pas avec Sophie et Frédéric, moi je pars seule...

Si elle savait. Si je lui disais... là, maintenant, pour l'arracher définitivement. Rien à faire. Ça me reste cloué dans la gorge. Je l'aime, elle me détestera après ça. Je ne serai plus sa fille.

Sophie vient à mon secours :

— Je pars avec elle.

Sophie sent le danger. Elle n'a fait que le frôler, grâce à Dieu, elle est encore une enfant, mais l'instinct la guide. Il a posé la main sur elle, elle ne sait pas que je sais, on lui offre la fuite, elle la veut. Il nous la faut. Pour elle, pour moi...

— Maman...

L'émotion transforme son visage en quelques secondes.

— Alors on part tous. D'accord. Préparez vos affaires comme on a dit. Cachez-les bien sous les lits. Surtout qu'il ne se doute de rien.

On a gagné. J'ai le cœur dans la bouche. Des frémissements dans les jambes. On s'évade. On s'évade enfin, mon Dieu merci. Merci maman.

Cette soirée de lundi fut immobile. Nous étions aux aguets, comme des animaux planqués devant un tueur. Chaque fois que je passais dans le couloir, je regardais la porte. Franchir cette porte, l'ouvrir, la refermer sur lui. C'est con une porte. Ça me fascine. La porte de son bureau, la porte de la maison. Une porte entre l'horreur et la liberté. Juste une porte... ouverte ou fermée.

Il n'a rien vu, rien deviné, rien senti. Tellement persuadé de son pouvoir, de sa domination, de l'esclavage consenti de son petit peuple.

Nuit éveillée. Silence dans la maison. Étoiles dans la nuit. J'ai allumé ma bougie une dernière fois. Je me suis couchée tout habillée, à l'affût du moindre bruit, du moindre glissement de pas dans le couloir. J'étais prête,

211

même au dernier sacrifice s'il le fallait pour ne pas qu'il se doute. A la dernière lutte. Que la nuit passe, mais qu'elle passe mon Dieu, accélérez la nuit, donnez-moi le jour !

J'étais saoule d'espoir.

Mardi matin. Panique silencieuse. Il faut attendre qu'il parte à son travail. Qu'il boive sa saleté de café, qu'il fasse démarrer sa voiture. Chantal est planquée dans la rue un peu plus loin, elle attend de le voir passer. Maman dans la chambre prépare en douce quelques affaires dans des sacs poubelles.

Nous partons tous les trois pour l'école, comme d'habitude. Fred, mon petit frère, ne sait rien. Maman doit aller le chercher à dix heures à l'école. Puis Sophie, puis moi. A dix heures trente, maman explique au proviseur du lycée que nous quittons le département. On lui fait signer un papier, disant qu'elle prend toute la responsabilité de son acte. Ça me fout en rogne. Pour qui on la prend ? C'est ma mère ! Elle m'a mise au monde, elle a le droit, tous les droits sur moi.

L'autoroute, enfin. La voiture est bourrée de sacs. Le petit peuple s'embarque vers la liberté au milieu des fringues entassés dans les sacs poubelles. On s'en fout d'avoir l'air minable. Pas besoin de valises en croco.

Fred ne comprend pas. Maman lui dit :

— Voilà, on a quitté la maison, parce que je ne peux plus vivre avec ton père. Mais je te promets que tu le verras quand tu auras envie. Ne pleure pas.

— Je veux habiter avec les deux, moi.

Pauvre gamin. C'est son père. Lui, il a encore un père.

Je suis heureuse. Jamais connu un bonheur pareil. Jamais. Cette route, je l'embrasserais mètre par mètre. Il ignore tout encore, il ne sait pas qu'on lui échappe, il est là-bas dans son atelier, à faire le mariole comme toujours,

212

sans savoir qu'il prend la baffe de sa vie. il va rentrer ce soir dans une maison vide. Il ne saura pas où on est. Il va crever de rage.

Il ne nous avait jamais lâchés, nous n'étions jamais partis en vacances loin de lui, à part cette petite semaine de liberté. Il nous tenait sous sa coupe en permanence. Il nous fallait des autorisations pour tout. On pointait comme à l'usine. Surveillés par un garde-chiourme. Personne n'allait nulle part sans qu'il le sache. Aujourd'hui, ça fait un an et demi que je suis séparée de lui, et je n'arrive toujours pas à croire à la liberté et au bonheur. J'aurai dix-neuf ans dans quinze jours et j'ai toujours peur de sourire, peur d'être heureuse. Il me semble que je n'ai qu'un seul droit, celui de subir le passé. Chaque fois que la vie m'apporte un moment de bonheur, je commence par le fuir. Comme j'ai fui mon père. Je me fuis moi-même, peut-être par peur de découvrir qui je suis. Il a tué l'enfant que j'étais, il a tué la femme que je devais être, et moi je suis au milieu. Je vacille entre la gosse et la femme, sans jamais trouver ma place. Alors je préfère, pour l'instant, rester la femme-enfant que je suis, dire merde à qui j'ai envie, et à qui le mérite. C'est quoi le bonheur? Je n'ai connu qu'un seul bonheur, celui de la fuite ce jour-là. Un bonheur précaire, qui m'est retombé sur la tête. Je n'étais encore qu'à mi-chemin du calvaire. Une pénitente, il me fallait encore gagner ma rédemption. Et ce n'est pas fini. Alors les bonheurs qui passent me font peur. On dirait que je n'y ai pas droit.

Par mesure de sécurité, nous sommes accueillis chez un ami de Chantal. Celui qui m'a raconté la septième vague. Il vit avec sa fille dans un petit deux-pièces mais il a accepté de nous abriter dans l'attente d'un logement. Le lendemain de notre arrivée, maman décide d'entamer la procédure de divorce. Nous n'avons pas d'argent. Il faut trouver un avocat qui accepte de constituer le dossier avec l'aide judiciaire. Je cherche dans l'annuaire, il nous faut une femme. Une femme comprendra le problème de maman. Le mien, je ne veux pas en parler. Je n'en parlerai jamais.

Il faut courir après les écoles, trouver des places pour Fred, pour Sophie et pour moi. Mais nous n'irons pas tout de suite, par prudence. Pendant un mois, nous devons nous cacher. Il a dû lancer ses copains à nos trousses, nous chercher partout, et chaque fois que je mets le nez dehors, j'ai la gorge nouée. La moindre silhouette qui lui ressemble me fait courir. La peur. Une autre peur, celle qu'il nous retrouve.

Grand-mère est au téléphone. Maman s'entend dire que si elle refuse d'avoir une conversation avec lui, il va se suicider.

— Ne fais pas ça maman... ne lui parle pas.

— C'est votre père, Nathalie. Un divorce c'est un divorce, d'accord, mais je ne peux pas refuser de lui donner de vos nouvelles. Il a des droits sur vous. C'est normal.

Le piège. Maman divorce, c'est son affaire. Elle ne peut plus vivre avec lui, c'est son affaire. Elle doit donc assumer l'éducation de ses enfants, en avoir la garde, gagner son divorce. Maman est dans la normalité. Mais moi... ça me rend malade qu'elle lui parle. C'est mon divorce à moi aussi et je n'ai pas voix au chapitre. Ce putain de silence. Ce putain de mensonge permanent. J'écoute, recroquevillée par terre.

Il pleure au téléphone. Lui... il pleure. Il veut qu'elle rentre avec les enfants. Elle dit non, elle dit que les enfants vont bien. Qu'elle n'a accepté de lui parler que pour ça. Il insiste, il répète qu'il va se suicider. Je prends l'écouteur, l'estomac retourné, j'entends :

— Si tu ne reviens pas, je me tue. Je vends la maison et je pars avec la voiture pour me tuer avec.

— Tu ne peux pas faire ça aux enfants... Calme-toi. Je vais raccrocher.

— Si tu raccroches, je me tue. Je te jure que je me tue.

Je pleure. Je n'en finis pas de pleurer. C'est écœurant de pleurer comme ça. A croire que je voudrais me tuer avec lui. Je me sauve sur la terrasse pour pleurer toute seule. Il ne se tuera pas, jamais. C'est un comédien, je le connais trop. C'est un maître chanteur. Il joue sur la fragilité de ma mère. Ça a marché une première fois, elle est revenue. Alors, il essaie encore. Ce type agit comme un enfant gâté, il croit qu'il suffit de trépigner, de cogner, de pleurer, pour arriver à ses fins. Il est ridicule. Ça ne tue pas, dommage.

Elle a raccroché. Il ne s'est pas tué.

— La seule chose que je lui accorderai, Nathalie, ce sera les vacances. Il a le droit de vous avoir pour les vacances.

— J'irai pas. Je vais travailler. Je laisse tomber l'école et je travaille, comme ça c'est réglé.

Maman me regarde drôlement. Elle se demande d'où me vient cette haine. La sienne, elle la connaît par cœur. Mais moi ? Moi, je suis l'enfant de mon père. Pourquoi le détester à ce point ?

— J'ai peur que tu repartes avec lui. Que tu le prennes

217

en pitié. Que tu craques. Il va te faire du chantage sans arrêt. C'est pour ça que je pleure.

Maman n'avait pas l'intention de céder au chantage. J'ignorais sa vie avec lui, comme elle ignorait les miennes. J'ai su plus tard que nous étions semblables. Qu'elle avait supporté ce sadique, comme moi. Elle, pour nous préserver. Moi, par peur. Elle en femme, moi en gamine. Pareilles.

Le jour approchait pourtant, où j'allais parler, lui parler à elle, enfin. Ce fut un vendredi. Elle devait prendre le train pour aller signer là-bas, dans notre ancienne ville, un papier d'huissier quelconque. Elle est partie le matin. Je n'ai pas voulu aller au lycée. J'avais peur. J'imaginais des tas de scénarios. Il allait surgir au coin d'une rue, la convaincre, la battre, je ne sais pas quoi... et on viendrait nous chercher pour nous ramener dans sa prison.

Une journée d'angoisse. Je voulais rester libre, ne pas me laisser enfermer dans une classe, être prête à toute éventualité. J'ai réussi à convaincre Chantal de téléphoner au bahut, en disant que j'étais malade. Bruno devait arriver le soir même, en permission. Il fallait que je sois vigilante.

Pour occuper la journée, Chantal m'a proposé de l'aider à arracher le vieux papier de sa salle de bains. On travaillait toutes les deux, je me calmais peu à peu, au milieu du chantier, des cuvettes et des seaux d'eau, et puis le téléphone a sonné. Anne-Marie, l'amie de maman, voulait lui parler d'urgence. J'ai pris l'écouteur. Même un appel téléphonique venu de là-bas, de la ville où il était, me faisait peur. Comme s'il pouvait m'atteindre.

— J'ai eu son mari au téléphone. Il m'a dit qu'il ne voulait plus de ses filles. Qu'il ne reconnaissait que son fils. Il était très énervé. Bizarre. C'est dommage qu'elle ne soit pas là, il vaudrait mieux qu'elle lui parle elle-même.

Ça voulait dire quoi ? Un nouveau chantage ?

Chantal a raccroché, dix minutes plus tard, nouveau coup de téléphone.

Cette fois je décroche moi-même. C'est à nouveau l'amie de maman.

— C'est toi, Nathalie ? Ton père vient encore de me téléphoner. Je ne sais plus quoi lui répondre. Il veut savoir où vous êtes. Il y a dix minutes, il criait qu'il reniait ses filles, et voilà qu'il veut de vos nouvelles.

— Dis-lui qu'on va bien. Je te laisse, je dois partir en classe.

Dix minutes plus tard, nouvelle sonnerie.

Cette fois je ne pouvais pas décrocher, j'étais officiellement à l'école. A nouveau l'écouteur. A nouveau la même interlocutrice.

Il a rappelé. Il m'a dit de dire ceci : « Si Nathalie ne me téléphone pas avant demain soir, j'ai des arguments qui pousseront sa mère au suicide. »

Chantal continue de parler, elle ne comprend pas, moi si. Je n'entends plus rien dans l'écouteur. La menace bourdonne dans ma tête. Il a trouvé le dernier argument : tout dire à maman. Avant moi. Lui raconter à sa manière toutes ces années de torture. Me transformer en garce, comme il dit, dans l'esprit de maman. Il espère qu'elle ne supportera pas. Qu'elle en mourra de honte, de chagrin.

Je vois tout trouble. Je délire complètement. Le couteau. Le tuer... qu'il crève. Tant qu'il ne crèvera pas, il me fera du mal, à cinq cents kilomètres comme à dix mille.

— Nathalie ? Qu'est-ce qu'il y a ? Qu'est-ce qu'il voulu dire ? Tu le sais ? C'est quoi cette phrase stupide ?

Je tiens ma tête à deux mains pour l'empêcher d'éclater, pour réfléchir. Je pleure sans pleurer, rien ne sort, j'étouffe. Pas moyen d'ouvrir la bouche pour dire un mot.

Je devais être effrayante à voir. J'ai accouché du mensonge dans la douleur. Ça m'a fait mal dans tout le corps.

Je me suis entendu dire enfin, mot par mot, entre des étouffements horribles :

— J'en peux plus de garder cette histoire pour moi.

— Quelle histoire ? De quoi tu parles ?

— Il y a cinq ans, il s'est passé quelque chose de grave.

— Dis-le, Nathalie. Parle... Il n'y a que toi et moi ici... Parle, je t'en supplie, dis-moi tout... dis-le...

— Il m'a.

— Calme... calme... arrête de pleurer, respire... Parle, je t'en prie, tu seras soulagée... fais-moi confiance...

— Il m'a violée.

C'était dit. C'était dit. Je l'avais dit enfin. J'avais prononcé les mots devant quelqu'un. Et la terre ne s'écroulait pas sous mes pieds, le ciel ne me tombait pas sur la tête. Il n'y avait qu'un visage ami, pétrifié de stupéfaction.

J'ai tout dit. Les cinq ans d'inceste. Ça faisait court. Ça se résumait à une phrase : « Il a commencé quand j'avais douze ans et demi, ça ne s'est arrêté que quand on est partis. »

— Ta mère est au courant ?

— Non. Il ne faut pas qu'elle sache. Je vais l'appeler ce salaud, je ferai ce qu'il voudra, mais il ne faut pas qu'elle sache.

— Il faut lui dire, Nathalie...

— Non !

J'ai hurlé. J'étais sale, j'étais une traînée, une garce. Je ne voulais pas que ma propre mère le prenne en plein cœur. Détruire l'image qu'elle avait de moi. Au-dessus de mes forces. Mais je n'en pouvais plus. Pleurer, me rouler en boule, me cacher, ne servait plus à rien. J'avais gardé le silence pendant des années, lutté pour rien, il avait réussi du fond de son trou, comme une sale araignée à m'obliger à parler. Pourquoi ? Qu'est-ce qu'il voulait ? Que je revienne ? Ou simplement faire du mal ? Non, il avait peur que je le dénonce. Et il jouait sur ma certitude d'alors. Certitude que si maman apprenait, elle en mourrait. Je m'étais tue pour ça, et aussi pour ne pas apparaître aux yeux de ma mère et des autres, comme la sale Nathalie. Maintenant c'était foutu, j'avais parlé, il fallait aller jusqu'au bout.

Je dois ma délivrance à cette jeune femme. A sa tendresse, à sa compréhension.

J'emploie le mot délivrance. Il n'est pas juste. C'était une forme de mort. Parler m'a soulagée, c'est vrai. Mais du mensonge seulement. Seulement du mensonge quotidien, vous comprenez ? Pas du reste. Pas de lui. De lui, je ne serai jamais délivrée, jamais. Je rêve de le tuer pour atteindre cette délivrance, mais même mort, il me salira encore.

Chantal m'a empêché de céder au chantage, elle a décidé pour moi. Elle a tout préparé, pour que je puisse avouer à ma mère. Elle a même prévu un médecin, au cas où maman irait mal. Ma maman déjà fragile, dépressive, esquintée, allait devoir encaisser ma sale histoire en plus.

— Et si elle ne veut plus de moi ?

— Je te trouverai un refuge provisoire. Mais ne pense pas à ça. Ta mère t'aime.

Tu parles ! Ne pas penser à ça, alors que je ne pense qu'à ça depuis des années ! Peur des autres d'accord, sale devant les autres d'accord. Mais devant elle, sa femme, ma mère. Mon juge. J'avais une tête de morte. Chantal m'a fait boire de l'alcool pour me secouer. La tête me tournait. Je ne pensais qu'à la mort. Rien n'était plus propre que la mort de mon père ou la mienne. Jusque-là, je m'étais contentée d'en rêver. La réalité me rattrapait au galop. Le seul calme possible, c'était la mort, et je vivais...

Le train était en retard. L'alcool me brouillait les idées. J'avais avalé une poignée de cachets, fumé des montagnes de clopes. Je ne m'appelais plus Nathalie. J'étais l'autre. L'autre dévergondée, l'autre salie, l'autre amochée. Mon secret arraché ne m'avait pas encore vidée, soulagée. Le dire à ma mère, c'était le dire aussi à tout le monde. J'étais au pied du mur. Il y avait deux Nathalie en moi et sur ce quai de gare, en attendant ma mère, je me sentais vieille.

Le train est arrivé. Maman souriait. Chantal lui parlait. Elle la préparait. Maman a cru qu'il était arrivé quelque chose de grave aux enfants, aux autres, les petits. Puis elle a « entendu ». Chantal parlait pour moi. Je sais qu'elle a dit une phrase du genre :

— Il a abusé de ta fille Nathalie, pendant cinq ans.

J'ai compris des bribes. « C'est pas possible ! le salaud ! l'ordure... Il va payer... Il va crever ce monstre. »

Elle a fait une crise de nerfs. Et moi, plantée à deux mètres d'elle, je ne sortais pas un mot. Je pleurais.

Longtemps après j'ai réussi à dire :

— Si tu veux, maman, je peux partir.

Elle a bondi sur moi, m'a serrée dans ses bras :

— Tu vas rester avec moi. Nous sommes réunies. On va lui en faire baver.

Plus tard, elle a voulu les détails. Mais ça je ne pouvais pas. Elle était trop terrorisée. Je me contentais de l'essentiel : ça a commencé à douze ans et demi, ça s'est arrêté quand on est parti... Il me battait. Je n'avais pas le droit d'en parler. Il me réveillait la nuit, tu dormais. Les factures, c'était pour ça.

Et Bruno est arrivé, en permission. Le ciel devait lui tomber aussi sur la tête. Je devais me délivrer de tout en même temps. Il allait peut-être comprendre enfin pourquoi je pleurais, je fuyais quand il me faisait l'amour. S'il m'aimait...

— Promets-moi de me laisser parler sans m'interrompre.

Il n'a pas réalisé vraiment. Il n'a compris que plus tard. Devant ce tribunal qui allait juger mon père. C'est là qu'il a tout découvert, les détails horribles, ceux que je n'avais encore dits à personne, surtout pas à lui. A lui que je repoussais parfois, quand le visage de mon père venait se superposer au sien.

Lui que j'avais choisi d'aimer. Lui qui m'avait partagée sans le savoir, avec mon père.

Il m'a écoutée ce soir-là, sans m'interrompre ou presque, grave, abasourdi, sans réaction. Il ne m'a pas repoussée, mais je voyais bien qu'il avait du mal à me croire. Il aurait fallu les détails et je ne pouvais pas encore les dire comme aujourd'hui.

Les détails. Tous les détails. Tous ceux dont je me souviens, tous ceux qui ont percé le brouillard de l'enfance. L'enfant que j'étais en a oublié certains. L'adolescente non. C'est vers quatorze ans environ que j'ai pris conscience avec lucidité de l'horreur de ma condition. Avant, c'est une sorte de cauchemar où ne flottent que des monstres, la machine à laver, la ceinture, le peignoir marron, la terreur des coups. Des photographies, des images fixes, des mots qui me glacent de peur.

J'expliquais à Bruno pourquoi mon père avait refusé une première fois nos fiançailles, l'année précédente, alors que tout était prêt, les fleurs, le champagne, les copains. Brusquement, il avait fait un numéro : j'étais trop jeune, ce serait pour l'année prochaine...

— Il avait peur. Pour lui, tu comprends. Je lui échappais et en lui échappant je pouvais finir par parler. Tu lui servais de paravent. Si je tombais enceinte, c'était toi... C'est pour ça qu'il t'a accepté si facilement à la maison, jusque dans ma chambre...

Pauvre Bruno qui pensait avoir un futur beau-père sympa, jeune, cool...

On s'est séparés en octobre. J'ai vécu des mois sans lui... sans amour, seule, à me débattre dans une enquête sordide qui exigeait tout de moi. TOUT.

223

L'enquête... Si tu parles, et tu dois le faire pour ta survie, tu dois savoir que parler ne veut rien dire au début. On te demandera de raconter, de préciser, de prouver... C'est à toi de faire la preuve que tu ne mens pas. A toi de te défendre, alors que tu es victime... un comble, non ?

Combien de fois m'a-t-on demandé pourquoi je n'avais pas parlé plus tôt ? J'en ai marre de me tuer à l'expliquer...

Parce qu'il y en a eu des explications ! Des tonnes !

D'abord l'avocate chargée du divorce. Maman m'emmène avec elle, pour lui faire part du fait nouveau. Je suis le fait nouveau. Je suis l'inceste. Réponse :

— Ne vous inquiétez pas, je vais demander un rendez-vous au juge des enfants.

Tout un galimatias de langage juridique, devant nous, en larmes. Ça ne l'affectait pas outre mesure, cette bonne femme. Elle considérait la chose comme un problème juridique. J'étais devenue un problème juridique.

Il fallait attendre une semaine, pour avoir la réponse du tribunal des enfants. Pas pressé le tribunal des enfants.

J'ai passé une semaine à bouffer des tranquillisants, à fumer, plus paumée que jamais, atrocement seule, sûre que personne n'allait comprendre. Personne.

Maman a essayé le Secours catholique. Une brave dame nous a conseillé d'aller nous-mêmes au tribunal, sans attendre.

Le tribunal était immense, glacial. On attendait le juge depuis une demi-heure. Une secrétaire s'est pointée :

— C'est à quel sujet ce rendez-vous que vous demandez ?

— Un cas d'inceste.

C'était la formule juridique. Moi.

Elle a fait quelques pas vers la porte du juge, toujours fermée. Puis elle m'a demandé :

— Vous êtes la victime ? Vous voulez rester avec votre mère ?

— Oui, pourquoi ?

— Attendez deux petites minutes.

Elle est repartie, avec son petit tailleur bien correct, ses cheveux bien coiffés, et elle est revenue nous dire :

— Je suis désolée, mais le juge pour enfants ne peut pas vous recevoir si vous voulez rester avec votre mère. En revanche, vous pouvez rencontrer l'éducateur qui s'occupe des mineurs.

Pourri. A quoi ça doit servir un juge pour enfants ? A écouter les mineurs, et à trouver une solution à leur problème. Pas à foutre des mômes en prison, ou à les placer dans des familles d'accueil. Ou encore à les renvoyer comme des balles de ping-pong devant un éducateur. Je savais bien que personne ne comprendrait. Que la justice n'est pas faite pour nous, pour moi.

Alors comme ça, j'aurais dû dire à cette secrétaire de merde, que je voulais pas rester avec ma mère ? Pour qu'un juge m'écoute ?

C'est quoi ce langage ? Ah, on a peur que ma mère me fasse raconter des histoires pour gagner son divorce ! Voilà le hic. Le bon truc. Le bon truc pour moi aurait été que ma mère me foute à la porte avec perte et fracas ? Qu'elle ne m'aime plus ? Ce que j'avais craint pendant des années, ce qui ne s'était pas passé, c'était ce que vous vouliez les juges ? C'était plus simple pour vous ? On prenait la gamine violée par son père, on la collait dans un centre, on la questionnait comme une sale petite menteuse, qu'elle était d'abord supposée être, et après, seulement après, on en discutait ? Ça va pas ? Bande de cons.

Maintenant je suis assise devant l'éducateur. Il en a rien à foutre de ce que je lui raconte. Il dessine des trucs bizarres sur son papier et, de temps en temps, il me pose des questions de détail. Des indiscrétions. Je lui raconte ma vie pendant deux heures. Je sors de là et j'ai quoi ? Rien.

Ah! si, une personne intelligente. Une secrétaire qui se jette sur nous pour nous dire :

— Il faut d'abord porter plainte au commissariat si vous voulez aboutir à quelque chose. On ne vous l'a pas dit ?

Ben non. Il pouvait pas commencer par là cet éducateur ? Ce nul ? Au lieu de me faire raconter toutes ces choses atroces pour rien ? Il pouvait pas comprendre que ça me fait mal de les dire ? Il est éducateur de quoi ?

Alors nous voilà au commissariat, maman et moi. Je me traîne de fatigue, je voudrais dormir des mois entiers, des années. J'en peux plus. j'y crois plus. A quoi ça sert ?

Surprise, c'est une femme-flic. Une Josiane Balasko, tout craché. Une sympa. Un être humain, enfin, dans ce dédale d'imbéciles.

Elle m'offre une cigarette, me sourit, me met à l'aise, et me prévient : ce sera long. Elle ouvre une bouteille de soda. Maman s'en va. A moi de faire.

Quatre heures. J'en peux plus. Je suis tellement bloquée, que c'est elle qui avance des affirmations, et je hoche la tête quand c'est oui. Elle mène l'enquête à fond, alors je comprends que quelque chose a changé : il faut absolument tout lui dire. C'est elle qui va m'aider. La seule qui fasse son boulot correctement. Une femme-flic formidable ! Elle sait, elle, que je n'ai pas fini d'en baver. Que ça ne fait que commencer.

Elle a pris tout son temps pour déverrouiller mon silence. Elle a compris pourquoi je n'avais pas parlé avant. Elle en avait vu d'autres.

Maman a signé sa plainte. Elle a enregistré la mienne. La machine était en route. Maintenant, il fallait attendre que l'enquête commence.

C'était l'été 1988, la mer était bourrée de monde, d'huile à bronzer, de papiers gras. Le soleil de juillet leur tapait sur la tête à tous ces vacanciers. Et j'attendais la justice.

J'apprends par hasard, que le suspect, mon père, a été arrêté pour 48 heures. Garde à vue.

Puis c'est à moi de me rendre à la gendarmerie, dans cette ville qui me fout les boules. Sur les lieux du crime.

Le train, la nuit, Bruno est encore à mes côtés à ce moment-là. Quatre heures du matin, la gendarmerie.

Le capitaine est un brave homme. Il a une tête de père de famille, de vrai père comme j'aurais voulu en avoir. Mais ceci est un interrogatoire. Raconte, Nathalie, Machin... Comment Machin, ton père, a commencé à te violer. Raconte ton enfance. Il faut un début. Raconte la machine à laver.

Je me lance courageusement. Je fouille ma mémoire, je me livre du mieux que je peux, en espérant que c'est la dernière fois que je raconte. Il arrivera bien un jour où plus personne ne me demandera : « Ça a commencé comment et quand ? »

Jusqu'à onze heures du matin, j'ai parlé à ne plus avoir de voix. On est allé jusqu'à me demander quelle position mon père me faisait prendre... atroce.

Il y avait encore plus atroce. Le procureur de la République voulait une confrontation entre mon père et moi.

A onze heures, je sors de la gendarmerie. A deux heures de l'après-midi, le même jour, il faut que j'affronte le monstre.

Pour lui dire quoi ?

Je veux pas ! « Il le faut, dit le capitaine, c'est la règle. » La loi ! Saloperie de loi ! Si je pouvais me barrer à l'autre bout du monde. Le revoir... m'asseoir à côté de lui...

Je veux pas.

J'y suis quand même. Et tout d'un coup je me dis : Nathalie, ma vieille, tu vas pas montrer à ce salaud une tête de coupable. Arrête de pleurer, mouche ton nez, mets-toi du rose sur les joues, brosse tes cheveux, redresse le cou, remonte les épaules. Vas-y. T'as pas de couteau, mais t'as les gendarmes cette fois. Et un procureur. Montre-lui que t'es forte, il serait trop content de te voir démolie. Gagne, bon Dieu ! Gagne.

J'ai les jambes qui tremblent, mais ça ne se voit pas. On me fait asseoir dans un fauteuil, en face d'un grand bureau. Le capitaine s'installe avec sa machine à écrire. Derrière lui le procureur de la République.

Je sens le choc électrique dans mon dos. La porte s'ouvre, il entre menottes aux poignets, encadré par deux gendarmes. On le fait asseoir à côté de moi, et je regarde ailleurs, tendue, concentrée sur mes forces. Même entre les gendarmes, il me fait peur. Il faut pas que je craque. Je ne supporte plus que son sale regard se pose sur moi. J'en dégueulerais. Mais je tiens bon.

On lui retire ses menottes. Il a l'air bien portant. Je

remarque qu'on lui a enlevé ses lunettes, sa montre, sa bague. Il mâche un chewing-gum et ne cesse de se balancer sur son fauteuil.

Je n'ai pas encore affronté son regard, je note tous ces détails, en l'observant de côté.

Première question :

— Monsieur... reconnaissez-vous avoir violé votre fille Nathalie, à l'âge de douze ans, et jusqu'à l'âge de dix-sept ans et demi ?

— Non. Je n'ai jamais touché Nathalie. Tout ce qu'elle a dit a été inventé par sa mère pour gagner le divorce.

Voilà. Il s'est défendu comme ça jusqu'au tribunal. Non je l'ai pas touchée, elle a tout inventé, elle fabule, c'est sa mère qui la pousse à mentir.

De quoi l'écraser sur place comme un cafard.

Mais personne ne le croit.

L'autre question est pour moi. Je réponds. Il se tait.

Je ne me souviens plus en détail, je répondais comme une automate, les muscles de mes jambes tremblaient, je serrais mes deux mains, moites d'angoisse.

A un moment j'ai dû répondre à une question qui ne lui a pas plu, il a fait un mouvement vers moi, tenté de se lever, et j'ai sursauté de peur. Les gendarmes l'ont obligé à se tenir tranquille. Et le procureur l'a averti qu'il ne devait pas tenter d'intimider le témoin. Un mauvais point pour lui.

A ce moment-là, j'ai eu envie de me sauver, de partir, tellement je me sentais mal. Au bout d'une heure de confrontation, on en était au même point. Il niait tout en bloc. Ma mère avait tout inventé.

Il était ridicule. Stupide. Bête. Nul.

Comment pouvait-on croire qu'une mère ferait raconter des choses pareilles à sa fille, l'obligerait à se salir en public pour obtenir un papier de divorce ? On divorce comme on veut maintenant. Plus on lui objectait la stupidité de sa défense et plus il s'y accrochait.

Une larve.

Pendant trois jours, je me suis droguée aux tranquillisants, à la cigarette, jusqu'à l'évanouissement. Je revivais tout. Impossible de dormir. Il était là au-dessus de moi, sa sale gueule, ses sales mains... Tous les oreillers du monde aplatis sur ma tête ne m'empêchaient pas de le voir surgir. Comment effacer la mémoire ? J'aurais aimé devenir folle, dingue à enfermer, si cette mémoire disparaissait en même temps.

J'étais dans cet état quand, trois jours plus tard, le capitaine de gendarmerie m'annonça au téléphone une chose incroyable.

— Nathalie, après votre départ, votre père a dit au procureur qu'il avait une preuve de votre mensonge.

— Une preuve ? Comment ça une preuve ? Quelle preuve ?

— Je ne peux pas vous le dire maintenant. Je serai là demain, pour un interrogatoire.

Toute la nuit j'ai tourné la phrase dans ma tête. Qu'est-ce qu'il avait pu inventer ? C'est quoi une preuve dans ces cas-là ? Les seules preuves qu'il pouvait avoir le condamnaient. Les photos ? Les cassettes porno ? Impossible. D'ailleurs il avait fait disparaître tout ce qu'il pouvait au début de l'enquête, juste avant d'être arrêté. Les gendames n'avaient trouvé chez lui qu'un bureau vide. Moquette arrachée par terre et sur les murs, caméra vidéo disparue... Rien ou presque, à part deux films vidéo de location, qu'il avait oubliés. Des horreurs qui avaient rendu malades les enquêteurs. Des animaux avec des femmes... C'était ça mon père, un malade. Un fou sadique. D'apparence normale.

Une preuve... Il avait peut-être eu le temps de magouiller un mensonge, mais lequel ? Pas dormi.

Le lendemain à neuf heures à la gendarmerie, je traîne un corps usé, une tête flapie. Je suis à bout de forces. Je ne tiens que sur les nerfs, et mes nerfs vibrent sans arrêt.

Le capitaine demande :

— Nathalie, peux-tu me dire quels sont les tatouages que porte ton père ? Les endroits, la couleur, les dessins, si tu t'en souviens.

Pour lui répondre il faut que je passe en revue le corps nu de mon père. Ils s'en foutent tous que ça me démolisse. Mais je réponds quand même.

— Sur un doigt, il a une pensée bleue, c'est pour sa mère. En bas de l'épaule, une espèce d'animal... sur l'autre bras... non sur l'avant-bras, un serpent entourant un poignard, un couteau.

Je l'ai fixé tant de fois ce couteau. Tant de fois j'ai souhaité qu'il soit palpable, arrachable, j'aurais pu le tuer avec. Mais il était incrusté dans sa peau. Il n'était pas à moi, je ne l'aurais jamais. Défendu d'y toucher. Il lui ressemblait ce couteau. Sale, laid.

— Continue Nathalie...

— Il y avait autre chose sur l'autre épaule, j'ai jamais su ce que ça représentait...

Merde... Merde...

J'ai dû le dire tout haut ce merde, car le capitaine me demande :

— Qu'est-ce qu'il y a ?

Il y a que je crois avoir deviné la misérable astuce qu'il a tenté, mais je n'en vois pas pour autant l'intérêt pour lui.

— Il y a aussi un as de pique. Noir ou bleu, je sais pas.

— Où est-il placé ?

— A un endroit bien précis.

— C'est-à-dire ?

— Sur... enfin bien placé... quoi.

— Tu veux dire que cet as de pique est tatoué sur la verge de ton père ?

— Ben oui, c'est ça.

Je peux pas prononcer le mot verge... ou ses synonymes.

Impossible, ça m'arrache la gorge. On dirait que je me vomis dessus.

— Tu te souviens de la couleur ?

— C'est difficile à dire... ça dépend... enfin ça dépend de la lumière... des fois je le voyais bleu, des fois je le voyais noir...

— Merci, ce sera tout.

— Pourquoi vous m'avez demandé ça ?

— Ton père a affirmé au procureur de la République que tu ignorais l'existence de ce tatouage... que cela prouverait que tu mentais.

C'était presque comique. Je vous jure. Comme les gens qui prennent un fou rire nerveux aux enterrements. Je ne comprenais pas. Il savait que je savais ! Pourquoi se défendre comme ça ? Il espérait que je n'oserais pas tout raconter aux gendarmes. J'étais pudique. Il comptait là-dessus ? Mais pauvre imbécile, tu me l'as prise ma pudeur, avec le reste. J'en ai plus, ou presque. Mes sentiments intimes, mes réactions d'horreur, de dégoût, les descriptions d'actes contre nature... Ça, il a fallu me les arracher et les médecins, les psychologues s'en sont chargés. Mais cet as de pique ridicule, la pointe tournée vers le ventre, ce porte-malheur de merde, dont tu es si fier, que tu t'es tatoué toi-même ! C'était si peu à côté !

Finalement l'astuce était plus vicieuse que je pensais. Sur le moment j'ai rien compris. Plus tard, j'ai compris qu'il essayait de faire croire que ma mère m'avait révélé ce détail, et me poussait ainsi au mensonge.

Se servir de son sexe pour sa défense, c'était tellement minable. Minable. Il avait peur maintenant. Il commençait à réaliser que les gendarmes ne le lâcheraient pas si facilement.

Quelques jours plus tard, il était enfin incarcéré. Enfermé, bouclé. J'avais au moins obtenu ça. Détention préventive, certes, mais il commençait à payer. Il a peur en prison. Il en a déjà fait. Il ne supporte pas. Plus de joints, plus de café, plus de vidéos porno, plus de copains, plus de putes... C'est pas beaucoup, au fond, mais c'est toujours ça. Il faut bien que je me remonte le moral. Parce que pour moi c'est pire.

Septembre 1988. Il faut retourner au lycée. J'ai pris un tel retard, que j'ai du mal à bosser en première B. Rien ne m'intéresse. Il me reste Bruno. Mais je suis trop déséquilibrée. J'ai besoin de tirer un trait sur le passé. Alors un jour, comme ça, sans raison apparente, je décide de rompre. J'ai besoin d'être libre, sans homme. Je me suis débarrassée de mon père, il reste Bruno. Je l'aime Bruno. Mais je ne peux plus voir un homme. C'est compliqué. C'est comme ça. J'ai pas l'intention de me psychanalyser devant vous. J'aimais Bruno, pourtant, mais je voulais plus d'homme. Ça m'a passé. Je crois qu'il a compris lui, c'est l'essentiel. Aujourd'hui on essaie à nouveau de s'aimer comme les autres. Tout le monde me dit que ça ne marchera pas. Moi je m'obstine. Il m'aime, je l'aime, merde, on tiendra le coup.

L'enquête continuait sans moi. Se clôturait sans moi. Nouvelle attente jusqu'au procès. Longue.

Maman avait vu une émission de télévision sur les enfants battus et violés. On y parlait d'une association, Enfance et Partage. Carole Bouquet, cette comédienne prestigieuse, si belle, si lisse, si somptueuse, lui donnait son appui.

Maman a voulu que j'écrive à la présidente, France Gublin. Elle était tellement malheureuse, ma mère, à ce moment-là, qu'elle cherchait des soutiens partout. Il lui semblait que notre cas était unique. Il fallait la soutenir, la défendre.

Ils ont reçu ma lettre, ils m'ont demandé de constituer un dossier. Un de plus. J'avais des dossiers partout.

233

Mais l'important dans celui-là, c'est que l'association m'offrait un avocat. Il allait me représenter et se constituer partie civile au nom de l'association. L'important aussi, c'est que j'ai rencontré des gens extraordinaires. Je ne savais pas que des adultes, des femmes, se battaient pour nous, les enfants muets de l'inceste. Pour briser le silence. Pour que ceux qui savaient, les adultes, parlent eux aussi.

Alors j'ai entamé une véritable croisade. J'avais envie de dire à toutes les filles des quatre coins de la France de ne plus se cacher comme moi, de ne pas avoir honte. La honte était pour eux, pas pour nous.

Je me suis retrouvée prise dans un engrenage. Une émission de télévision d'abord, sur FR3 Nice. Une tentative de faire éclater le tabou. C'était difficile au départ, mais je m'y suis mise. Après ce premier pas, tout le monde s'y est mis. La télé, les journaux, les médias. J'étais un peu abasourdie, dépassée par les événements, mais je sentais que c'était une victoire formidable. Ça me rendait forte de m'occuper des autres, de parler aux autres. Presque un bonheur...

Stop le bonheur. Nouvelle convocation, cette fois devant le juge d'instruction. Nouvelle confrontation avec le monstre. Je l'appelle le monstre pour l'instant. Ce n'est plus mon père. C'est fini. J'en ai eu un, il y a longtemps dans une autre vie. Donc c'est le monstre.

Le monstre est arrivé avec ses supporters, sa famille, persuadée que je mentais. Je crois qu'il niait essentiellement pour ça. Pour que cette famille ne le lâche pas. Moi j'étais seule avec ma mère.

Le monstre était dans un sale état. Nerveux, une figure de déterré. Moi j'avais l'air d'aller bien. Il l'encaissait mal. Je faisais tout pour ne pas montrer l'angoisse. Mon orgueil, je n'avais que ça.

Le juge a l'air gentil.

— Nathalie, pouvez-vous regarder votre père, et lui dire de quoi vous l'accusez ?

— Oui.

Bien sûr que je peux ! Et comment ! Que cette phrase lui rentre dans le ventre comme une lame de couteau.

— Je vous accuse de m'avoir violée pendant cinq ans.

Il devient blanc. Je crois qu'il n'y croyait pas. Il espérait que je flancherais ? Que j'aurais honte ? Peur ? C'est vrai, j'ai évolué et lui, il est enfermé. Au courant de rien. Il ne sait pas qu'on en a jugé des tas comme lui, pour des choses immondes. Qu'on les a condamnés qu'on en parle, qu'enfin le tabou explose. Et moi j'ai la certitude que c'est un peu grâce à moi. Parce que je parle haut, que je refuse un procès à huis clos. Mineure ? Rien à foutre. Je veux crier, hurler mes cinq ans de silence. Ça fait un sacré hurlement. Si le juge n'était pas là, je l'insulterais jusqu'à ne plus avoir de souffle ni de mots.

Au lieu de ça, je l'ai vouvoyé pour l'accuser proprement, calmement, comme il se doit.

Mais il répond que je mens, d'une voix mielleuse, basse, hypocrite, insupportable. Alors je me tourne vers mon avocat et je demande :

— Ça aggraverait mon cas, si je lui foutais ma main en pleine gueule ?

— Gardez votre calme.

J'ai mal au dos. Mes nerfs me lâchent. Comment je tiens bon pendant cinq heures ? Je sais pas. Cinq heures, dans ce bureau, à entendre les mensonges, les conneries crasses qu'il essaie de sortir pour échapper à la justice. Cinq heures... une éternité... et voilà qu'il tente autre chose. Il se lève, il se prend pour un père !

— Je n'ai pas dit à ma fille tout ce que j'avais à lui dire...

Le juge n'aime pas :

— Monsieur... ce n'est pas vous qui organisez cette confrontation. Je vous prie de vous rasseoir et de vous taire.

Il l'a fermée. Bien obligé de ravaler sa saloperie d'autorité.

Personne ne peut comprendre ce que représentent des journées comme celle-là. J'ai tremblé d'angoisse, de peur. La justice ne se décidait pas à l'inculper définitivement. Quand ? Mais quand allait-on lui fermer la gueule une bonne fois pour toutes. Ça me rendait malade qu'on le fasse parler, qu'on lui pose des questions, comme à un homme normal, qu'il ait un avocat pour se défendre. Le tuer, merde, il n'y avait que ça.

Parfois, cette violence, ce besoin de vengeance qui m'empoisonne me fait peur.

J'ai mis une semaine à m'en remettre. Le revoir, c'était pire que tout. Cette fois je me disais, bon, c'est fini. On va te ficher la paix maintenant. Il n'y a plus qu'à attendre la lettre qui dira que le monstre sera jugé tel jour à telle heure...

Seulement, voilà ! Ce n'était ni aussi simple ni aussi facile. Je n'étais qu'une gamine anonyme, noyée dans la foule des anonymes. Lorsque la justice prend en main le cas d'un ministre, ou d'un homme publique, c'est le branle-bas de combat. Les assises pendant des jours, des semaines parfois. Moi Nathalie, j'étais rien. De la merde.

Juste une enfant violée. Une bagatelle. On me faisait attendre, et au bout du compte je n'aurais qu'une journée d'assise. Ce criminel serait jugé en vitesse, il prendrait quoi ? Dix ans... c'est un crime... mais pas perpette. Oh ! non. Pas si grave. Mon avocat m'avait prévenue. La peine de mort ? Mais elle n'existe plus d'abord. La perpette ? C'est pour les hold-up, les terroristes, ceux qui ont touché aux grands de ce monde... Lui... il prendrait dix ans, peut-être douze...

Alors les cauchemars recommençaient. Le couteau à la main, pointe en bas, je n'arrivais pas à le tuer, je me réveil-

lais en sueur... les jours passaient à coups de tranquillisants, les nuits étaient horribles.

Parfois, je me retrouvais toute seule à la maison, paralysée de trouille sur un canapé, avec l'impression de devenir
folle, de perdre mes idées, ma raison...

Parfois, je le voyais surgir au détour d'une porte, derrière
une fenêtre, dans la rue...

Je retrouvais les pires moments. Me laver comme une
dingue trois fois de suite, m'habiller des pieds à la tête
pour me coucher, sous des montagnes de couvertures.

Dormir un jour, sans me réveiller en sursaut parce qu'il
me tire par les pieds, qu'il me tape sur la tête... ne plus
entendre : « Ce soir, tu restes... »

Mon Dieu, comment fait-on pour effacer ? Vous avez
pas une gomme ?

J'étais dans cet état, lorsqu'une nouvelle lettre est arrivée
du tribunal. L'ordonnance du juge d'instruction demandant que je passe devant un psychologue, un psychiatre et
un gynécologue.

Pour prouver que je ne suis pas une fabulatrice.

La révolte. Je ne voulais pas voir ces dingues. Je sais ce
que je dis. Pas besoin qu'on me le prouve. Je doute de vos
paroles, pas des miennes.

Je suis dans le bureau du psy. Butée. Pas envie de lui
parler. Il ne cesse de poser des questions connes, bizarres.
Aucun souvenir. Je m'emmerde, je suis fatiguée.

Deux heures plus tard, je suis dans un autre bureau,
celui du psychiatre. Il est plus fou que moi ce type. J'ai pas
besoin de lui pour savoir où est la vérité. Je suis agressive,
tant pis, il a qu'à faire avec.

— Vous voulez savoir ? J'ai été violée, maltraitée pendant cinq ans, il m'a droguée, et ensuite il a voulu me prostituer. Ça vous va ? Vous voulez encore des détails ?

J'en peux plus des détails. J'approche de la fin de ce
livre, que j'ai voulu. Que je veux plus que jamais. Mais
marre, les détails. J'ai mal au ventre, envie de vomir chaque
fois qu'on me demande des « détails ».

Vous n'avez pas besoin de détails, vous les filles comme
moi qui vous taisez encore. Il est pour vous ce livre et pour
moi aussi. On partage. Sans les détails.

Me voilà dans le cabinet d'un gynécologue, après les
médecins de la tête, je dois encore accepter de me faire tripoter par un gynéco. Un gynéco, pour moi, c'est l'épouvante. Me déshabiller, me mettre nue, me laisser voir de
l'intérieur. Je suis sûre que je suis marquée. Qu'il y a quelque chose au fond de moi d'écrit, qui dit : « Violée par son
père. »

Il le faut pourtant, cet homme veut savoir précisément si
le viol remonte à mon enfance. J'avais douze ans et demi,
merde, je le sais. Lui, il veut voir. Il voit. Il déclare que les
rapports sont anciens. Tous les rapports.

Ça vous rend pas plus propre de se l'entendre certifier.
On se rhabille et on s'en va, humiliée.

Et la déprime recommence.

C'est fini. J'attends le papier rose de l'audience des
assises. Je passe mon bac de français, dans un sale état.
Comme d'habitude autour de moi les autres filles sont normales, elles ont un père, il n'est pas en prison, elles ne se
rongent pas les ongles à l'idée de lever la main droite et de
dire je le jure devant un tribunal. Je jure que mon père m'a
violée pendant cinq ans sous la terreur.

Puis une main se tend, celle de François de Closets, pour
une émission, sur la grande chaîne publique. Un type for-

midable. Un homme vrai. A force, je croyais qu'il n'y en avait plus.

Je ne vais pas l'encenser trop devant vous. Il est devenu mon ami.

L'autre main, c'est ça : ce livre. Un éditeur qui m'encourage. Depuis le temps que je jette tout sur un cahier, que j'écris comme on se lave, comme on respire de l'air frais. Ce défouloir, je l'ai.

Merci, en grandes lettres.

J'attends le papier rose. Je sais d'avance que je vais perdre. Il n'y aura pas la mort, alors je vais perdre.

4 octobre 1989, neuf heures du matin. Je suis devant le tribunal. Le soleil est froid. Je hais cette ville. Mais c'est le grand jour. Le seul qu'on m'offre. Sur la petite place, les témoins piétinent en attendant l'entrée dans l'arène.

Il y a le groupe de sa famille à lui, de ses copains à lui, le groupe de sa défense.

Le mien, c'est ma mère, ma sœur, Bruno et les amies qui ont assisté au délabrement de ma vie d'adolescente. Anne-Marie surtout, celle qui s'est douté la première, qui m'a posé les premières questions, a conseillé à ma mère de m'envoyer chez un psychologue. Pour rien à l'époque.

Il y a le capitaine de gendarmerie, responsable de l'enquête, un si brave homme, père de famille, qu'à côté de lui, mon père fait encore plus figure de rat malfaisant.

C'est lui que j'attends. Mon obsession.

Intérieurement, je suis délabrée ; on m'a bourrée de calmants. Extérieurement, j'ai mis un joli tailleur propre, des boucles d'oreilles, des chaussures à talons. J'ai dix-huit ans, bientôt dix-neuf, je suis une femme. Je devrais en être une, s'il n'avait pas existé. Je tiens à mon image, à mon orgueil, à ma vengeance. Je m'appuie dessus pour ne pas tomber.

L'estafette de la gendarmerie arrive sur la petite place, et pénètre dans la cour du palais de Justice.

Il est dedans, le criminel, menotté, encadré. Il faut que je le regarde en face. J'ai envie de lui cracher en pleine figure. C'est idiot, mais ça me soulagerait.

Il est pâle, l'air malade. Je sais qu'en prison, des codétenus lui ont cassé la figure. Les violeurs et les incestueux n'ont pas la vie facile en taule. Ils sont toujours les têtes de Turc des autres.

Avec son visage impassible, fermé, cette tête d'oiseau bizarre, aux lèvres minces comme un bec, il me paraît plus petit que d'habitude, dans un costume gris étriqué.

Depuis presque six mois qu'il est en prison, il nie. Il nie, il nie. C'est à moi de faire la preuve de sa culpabilité.

On le fait entrer très vite par une petite porte.

Je suis assise seule sur un banc de bois lisse dans la salle lambrissée. Nous attendons les juges.

J'ai aperçu Bruno, quelques instants. Cité comme témoin. Nous ne nous sommes pas revus depuis la rupture que j'ai souhaitée. Il me manque pourtant. J'aimerais le lui dire. C'est difficile d'aimer. Je suis perdue dans un labyrinthe, moi à un bout, lui à l'autre, et entre nous deux il y a ce dédale infernal, ces cinq années de terreur et de soumission.

Le président s'installe, la salle est debout pour saluer l'entrée de la justice.

L'appel des jurés. Ceux que l'on récuse disparaissent, les autres s'installent. Tous les témoins doivent sortir. Même ma mère. On est en train de m'enlever ma mère. On me laisse seule avec ma panique.

Cette évocation du procès sera maladroite, je le sais, parce que je l'ai vécu presque inconsciemment. C'était trop dur, trop infect, et une fois de plus, il y avait là, sur ce banc, une Nathalie de cauchemar. L'autre était ailleurs, elle entendait à peine, comprenait à peine, elle entrait, sortait, pleurait dans un couloir, avalait un calmant, un verre d'eau, repartait dans l'arène, en apparence vivante, en réalité, morte. Mon fantôme était présent, pas moi.

Seule pour le défilé des témoins de la défense, qui passeront en premier à la barre. « Sa » famille, « ses » copains qui vont mentir. Le soutenir, jurer la main levée, que c'est un travailleur, un bon père de famille, un mari exemplaire...

A partir de là, je perds le fil. J'entends bien sûr des phrases du genre : « C'est la faute de sa mère, c'est elle qui la pousse pour gagner le divorce. » Ou bien : « Mon frère est irréprochable, il a tout consacré à sa famille et à ses enfants. » Et encore : « Si une telle chose s'était passée, ce n'aurait pu être qu'avec son consentement à elle ! »

Moi, la garce. Évidemment que j'étais consentante à douze ans... Vous pensez...

Le psychiatre déclare que l'accusé a une personnalité « rigide », mais qu'il n'est pas fou. La personnalité rigide se plaint de n'avoir été examinée que pendant dix minutes.

C'est évidemment faux, mais il le maintient. Aurait-il peur de ne pas être fou ?

Tout cela m'écœure. J'interviens parfois à voix haute pour rétablir la vérité, mais je n'ai pas le droit, on me fait taire, le président, mon avocat aussi. Il faut savoir rester stoïque et silencieuse.

Après ce défilé de mensonges, on me dit que les témoins n'ont rien apporté de concret à la défense. Nuls. Personne ne les a crus. Ils se sont maladroitement enfoncés dans leur système au point d'apparaître presque comme des témoins de l'accusation. Une femme a même levé la main gauche pour jurer et fait sourire la salle.

Qu'est-ce que je fais là ?

Je flotte, des tas de choses m'échappent, la justice m'échappe. Pourquoi a-t-il, lui, le droit de parler et d'intervenir à tout moment et pas moi ?

Il s'est inventé un calme inhabituel, une attitude passive,

une petite voix à peine audible. Son avocat, le deuxième (le premier a laissé tomber), n'a même pas l'air convaincu.

Pause déjeuner, sur la place du tribunal. Errance, sandwiches, tant de gens me parlent, que je ne m'entends pas réfléchir.

J'espérais tout de même vivre une journée exceptionnelle. La grande sanction. Mais il ne se passe pas grand-chose.

Le monstre se tait, ou nie l'évidence. C'est sa force.

Celle du lâche.

Enfin c'est à moi.

De temps en temps, mon avocat me fait sortir, parce qu'un mensonge me fait bondir. Il répète inlassablement, de sa voix plate : « Elle ment. » « Ils mentent tous. »

Parfois, j'essaie d'attraper son regard, de le provoquer, comment le faire avouer ? Je voudrais qu'il avoue, c'est à lui de raconter l'horreur, lui l'adulte, le responsable, le coupable, le père. Pas à moi.

Le président s'impatiente devant cet accusé falot, qui se défend tellement mal, ment tellement mal, que l'atmosphère en est empoisonnée.

— Enfin, monsieur..., si vous êtes innocent, en admettant que vous le soyez... vous devriez la clamer cette innocence !

Et la petite voix plate murmure :

— Mais je la clame...

Je le tuerai, je le tuerai. Tout ça ne sert à rien, ils ne le connaissent pas, moi si.

L'après-midi, ce sont mes témoins. Ils savent ce qu'ils ont à dire, c'est net.

Bruno à la barre. Il ne peut raconter que ce que je lui ai dit moi-même, si tard.

Enfin c'est au tour de ma mère, de ma sœur, de moi.

Ma sœur à la barre.

Elle est formidable de calme. Forte, fière un instant,

pour dire qu'elle a échappé de peu aux « attouchements », comme on dit, de ce père qui conseillait à ses filles de dormir nues, parce que c'était plus sain...

— Que pensez-vous de votre père, aujourd'hui ?

— Je le déteste !

Elle l'a bien regardé, puis revient s'asseoir à mes côtés, en pleurant à chaudes larmes. Je l'admire, elle est plus forte que moi, plus volontaire.

Maman à la barre.

Elle raconte son histoire à elle. Sa vie de femme mariée, l'esclavage, les exigences sexuelles auxquelles elle devait se soumettre.

— Il exigeait tant de moi, sur ce plan, que je ne pouvais pas imaginer une seconde, qu'il avait besoin en plus de ma fille !

Et là, il se lève, le monstre et il dit en relevant la tête :

— Tu n'as pas honte de mentir !

— C'est toi qui devrais avoir honte !

Je n'en peux plus de rester assise, de me taire. La vérité ne sort pas, il ne la dit pas, j'ai besoin de violence, pas de cette discussion réglée, organisée.

Le président est un brave homme, avec un accent régional sympathique. Père de famille, lui aussi, il vient de juger dans la semaine deux cas semblables, à huis clos. Il a entendu des horreurs du genre : « J'aime ma fille, c'est normal que je lui fasse l'amour. »

Il me réconforte un peu par le dégoût qu'il a du mal à cacher. La pornographie en cassette vidéo, il veut bien l'admettre, on en voit tous les jours sur des chaînes de télévision... Mais ce qu'on a trouvé chez l'accusé le dépasse.

— Vous trouvez ça normal, un film qui montre les ébats d'une dame avec un cheval ?

Pas de réponse.

C'est à moi. J'avance, je m'agrippe à la barre.

J'ai parlé. Tout dit. Mais je ne sais pas comment. Aucun souvenir. Juste quelques flashes. « Il » a voulu intervenir sur un détail et me couper la parole, il s'est fait engueuler par le président.

— Je vous somme de vous taire et de laisser parler votre fille.

Je parle, le couteau dans la tête. Il est là, brillant, large lame pointue, fascinant, aveuglant. Ce couteau, c'est moi. Moi.

— Que pensez-vous de votre père aujourd'hui ?

— Je veux qu'il crève !

Je le fixe. Je soutiens son regard, c'est la seule réponse que je trouve importante. Je voulais le lui dire, à lui, devant tout le monde, en public, pendant qu'un journaliste dessinait sa sale tête, que les jurés le regardaient mornement, dépassés par cette vision d'un monstre ordinaire. On me renvoie à ma place, et je m'effondre en larmes.

Des larmes, j'en ai tellement versé, que je suis devenue une machine à larmes.

Mon avocat s'est élancé. Preuves, arguments, discours carré, implacable. Cet homme est un nazi qui ne cache pas sa sympathie pour Hitler, il l'a souvent dit en public. Cet homme est un père sadique, violent, immonde...

Je sais. Je sais, je n'écoute pas, on m'a déjà dit pendant l'interruption d'audience qu'il allait prendre dix ou douze ans.

Pendant la plaidoirie de son avocat, je suis restée dehors, avec Bruno.

— Je veux vivre avec toi.

Il a franchi le labyrinthe. Nous avons peut-être une histoire à vivre ensemble. Je jure que je vais essayer en tout cas.

Il est minuit. Le verdict va tomber. Le rideau aussi, sur ce théâtre de justice.

Coupable avec les circonstances atténuantes.

Ils ont trouvé ça où ? Quelles circonstances atténuantes ? Il n'est pas fou, il n'a rien avoué. Qu'est-ce qui peut bien atténuer son crime. Il y a des nuances dans un crime comme ça !

On pourra toujours me dire, que c'est pour lui éviter vingt ans de réclusion. Que les jurés ont coupé la poire en deux pour ne lui refiler que douze ans. Clémence.

Je hais la clémence. J'ai perdu.

La poire c'est moi. Rien ne me venge dans tout ça. Tout le monde sait que dans huit ans il sera dehors.

Il a quarante-deux ans, à cinquante ans il sera libre, les mains dans les poches, il aura, comme on dit, payé sa dette à la société.

Mais pas à moi. Moi, il m'est impossible d'admettre cette justice, qui se paie, elle, et ne me venge pas moi.

C'est vilain la vengeance ? Non. C'est beau, nécessaire.

J'en avais besoin, j'en aurai toujours besoin. Nathalie la désirait à mort. Elle a toujours le couteau dans sa tête. C'est ainsi.

L'autre, celle qui ne s'appelle plus Nathalie, essaye de se construire une vie avec l'homme qu'elle aime. Elle a tout à apprendre de l'amour. Elle a peur, elle fuit encore, elle sursaute sur une ressemblance, une expression, un bruit de porte qui se ferme. Elle dort encore tout habillée. Elle n'a pas pu acheter de machine à laver, en installant sa nouvelle vie. Elle lave son linge sale à la main.

Mais, de plus en plus souvent, la liberté la fait éclater de bonheur. La liberté c'est formidable. Vous ne pouvez pas comprendre, vous êtes libres depuis toujours. Pour moi et ceux et celles qui me ressemblent, la liberté est un cadeau fabuleux. Abolition de l'esclavage, plus de barbelés invisibles, plus de chambre de torture. J'en suis saoule, certains matins ensoleillés, au bord de la mer, où je guette la septième vague du bonheur.

Et certains soirs, j'allume les bougies de mon cauchemar, je retrouve mon couteau.

Sans savoir où le planter, à mort.

Vendredi 29 décembre 1989. J'ai dix-neuf ans aujour-d'hui.
Merci d'avoir fait silence en m'écoutant crier.

Achevé d'imprimer
en juin 1993
par Printer Industria Gráfica S.A.
08620 Sant Vicenç dels Horts 1993
Depósito Legal: B.36739-1993
pour le compte de
France Loisirs
123, Boulevard de Grenelle,
Paris

Numéro d'éditeur : 22479
Dépôt légal : juin 1993
Imprimé en Espagne